'Cythral o Dân'

'Cythral o Dân'

Cofio 75 mlynedd ers llosgi'r Ysgol Fomio

Arwel Vittle

Argraffiad cyntaf: 2011

Dymuna'r cyhoeddwyr gydnabod cymorth ariannol
Cyngor Llyfrau Cymru

Cynllun y clawr: Y Lolfa

Lluniau ar dudalennau 16, 21, 31, 35, 44, 48, 60, 73, 80, 81, 96, 99, 121, 127, 129, 133 trwy ganiatâd teulu Saunders Lewis, Plaid Cymru, *Y Cymro* a Llyfrgell Genedlaethol Cymru

ISBN: 978 1 84771 392 6

Cyhoeddwyd ac argraffwyd yng Nghymru
ar bapur o goedwigoedd cynaladwy gan
Y Lolfa Cyf., Talybont, Ceredigion SY24 5HE
gwefan www.ylolfa.com
e-bost ylolfa@ylolfa.com
ffôn 01970 832 304
ffacs 832 782

'Ar y pryd bu sôn hyd at ein syrffedu ni am y tri gwron. Nid gwroniaid mohonynt un dim ond dynion wedi eu dal gan ddyletswydd a heb fedru ei gwadu.'

Saunders Lewis

'Ceisiasom achub anrhydedd cenedl y credai'r mwyafrif mawr yng Nghymru a bron pawb y tu allan i Gymru nad oedd ganddi'r fath beth ag anrhydedd i'w golli.'

D J Williams

'Beth pe bai'r arweiniad hwnnw heb ei roddi i Gymru y pryd hynny? Arswydaf wrth feddwl, er cynddrwg yw hi arnom, y llanast a fyddai yma heddiw.'

Lewis Valentine

Cynnwys

Cyflwyniad

MAE GWAHANIAETH ENFAWR RHWNG tân siafins a seren wib. Y cyfan sy'n weddill ar ôl tân siafins ydi llwch ac ogla. Mae seren wib yn gadael delweddau yn y cof ac mae dyn yn dychwelyd atynt, flynyddoedd wedyn, i gofio'r achlysur ac i holi am arwyddocâd. Nid tân siafins oedd y Tân yn Llŷn.

Ym Mhwllheli ym 1986, gwelwyd dathlu hanner canmlwyddiant y safiad yn erbyn adeiladu Ysgol Fomio ym Mhenyberth. Bryd hynny, roedd llawer ar y Maes oedd wedi byw trwy'r cyfnod; rhai ohonynt wedi cynorthwyo'r Tri, megis y diweddar O M Roberts. Bellach, dim ond ychydig all gofio, o'u profiad eu hunain, y wefr, y cyffro a hefyd yr ofn a'r ansicrwydd oedd i'w deimlo yn sgil y Tân. Mae'r gyfrol hon, felly, yn amserol.

Mae'n anodd i ni, ac yn arbennig i'r genhedlaeth ifanc, ddirnad anferthedd y weithred. Bryd hynny, roedd ymerodraeth Prydain yn rheoli chwarter y byd a'r meddylfryd imperialaidd yn parhau. Gwir fod Iwerddon wedi torri'n rhydd, ond ychydig oedd eisiau gweld Cymru'n dilyn llwybr gwaedlyd ein cefndryd Gwyddelig.

Dyma oedd cyd-destun safiad heriol Saunders Lewis, Lewis Valentine a D J Williams. Roedd llosgi eiddo'r wladwriaeth, gan arddel cyfrifoldeb, yn agor pennod newydd yn ein hanes fel cenedl. Doedd neb, ym 1936, yn gwybod at beth y gallai hyn oll arwain.

Roedd y digwyddiad a'r safiad yn Llys Caernarfon wedi cyffroi'r genedl ac wedi denu cannoedd o aelodau newydd i'r Blaid. I lawer, y rali i groesawu'r Tri o'r carchar, yn hen Bafiliwn Caernarfon, efo pymtheg mil i'w cyfarch, oedd y profiad mwyaf ysgytwol. Tystia rhai a oedd yno fod Saunders, am ennyd pan gododd i siarad, â'r genedl yn ei ddwylo a chwyldro yn y fantol. Ond nid felly y bu.

Er anferthed y cynnwrf a'r sialens i'r gydwybod genedlaethol, ni lwyddwyd i gynnal y momentwm. Roedd miloedd yn cydnabod symboliaeth y safiad – ond ddim am ddilyn yr arweiniad yn ymarferol.

Mae Arwel Vittle, felly, yn llygad ei le wrth ofyn y cwestiwn paham y methodd y Blaid Genedlaethol â bachu ar y cyfle? Ai diffyg trefn oedd achos hyn? Ai 'diffyg stamina gwleidyddol'? Neu ddiffyg arweiniad? Neu ddiffyg argyhoeddiad? Ai ofn?

Ynteu a oedd y meddylfryd Cristnogol yn arwain pobl i ymhyfrydu mewn aberth gan yr unigolyn i arbed y genedl, ac nad oedd angen i'r rhelyw wneud mwy na thalu gwrogaeth i'r weithred, heb rannu'r groes?

O gofio bod hyn oll yng nghanol dirwasgiad, diweithdra a thlodi enbyd, a ydym i ddehongli nad oedd Cymru y pryd hynny – nac efallai o'i hanfod – yn genedl chwyldroadol? Neu'n methu â chydasio ym meddwl gwerin gwlad y dadleuon cenedlaethol, diwylliannol a heddychol gyda'r rhai economaidd a chymdeithasol?

Prin y gallwn synnu, adeg Tryweryn, nad oedd parodrwydd eang i fabwysiadu dulliau Penyberth i warchod tir a chymuned. Eto, darlith radio Saunders Lewis ym 1962, 'Tynged yr Iaith', a sbardunodd genhedlaeth ifanc i arddel tor cyfraith di-drais wrth ymgyrchu dros yr iaith, gan dderbyn cyfrifoldeb dros eu gweithrediadau a sefyll gerbron llys i herio eu cyd-genedl lawn gymaint â'r sefydliad Prydeinig. Parodrwydd y genhedlaeth ifanc i aberthu oedd un symbyliad i Gwynfor Evans sefyll dros Sianel Deledu; gweithred ddi-drais, gan heddychwr a chenedlaetholwr, a lwyddodd i newid polisi Llywodraeth Prydain.

Efallai fod yr amser yn aeddfed i ddadansoddi beth oedd cyfraniad tymor hir Penyberth i ddatblygu ein hymwybyddiaeth a'n seici cenedlaethol. Mae'r gyfrol hon yn werthfawr i helpu cenhedlaeth newydd i wybod am y weithred, ac i ni oll ddechrau gwerthuso'r digwyddiad fel rhan o hanes Cymru'r ugeinfed ganrif.

Dafydd Wigley

Awst 2011

Rhagair

Ar ôl iddynt ildio i'r heddlu a chymryd cyfrifoldeb am losgi'r Ysgol Fomio ar 8 Medi 1936, treuliodd Saunders Lewis, D J Williams a Lewis Valentine y noson yng nghell gorsaf yr heddlu ym Mhwllheli. Wrth gofio'r digwyddiadau, dywedodd Lewis Valentine fod un o blismyn yr orsaf, ar ôl gweld y tân drosto'i hun wedi adrodd wrth y tri eu bod "wedi gwneud cythral o dân".

Go brin bod yr heddwas hwnnw yn sylweddoli ar y pryd mor broffwydol oedd ei sylw, ac y byddai llosgi'r Ysgol Fomio yn un o ddigwyddiadau mwyaf cofiadwy ac arwyddocaol hanes diweddar Cymru. Mae'n ddigwyddiad mor eiconig nes bod modd i rywun anghofio gweithred mor ddramatig oedd y Tân yn Llŷn, yn enwedig yng nghyd-destun cyfnod tridegau'r ugeinfed ganrif. A pheth anodd iawn i ni yw dirnad yr awyrgylch o Brydeindod llethol a fodolai bryd hynny, a chymaint o hyfdra oedd herio hynny.

Lle gwahanol iawn i Gymru 2011 oedd Cymru 1936. Gwlad lle'r oedd hyd yn oed y syniad, heb sôn am y realiti, o Gymru fel cenedl boliticaidd yn un bregus.

Un o effeithiau'r weithred oedd cryfhau'r syniad o Gymru fel endid gwleidyddol, a thros y blynyddoedd daeth Penyberth a ffigurau 'Y Tri' yn symbolau chwedlonol bron i'r mudiad cenedlaethol yng Nghymru.

Ond dynion nid symbolau a drefnodd roi cytiau gwersyll yr awyrlu ar dân, ac a ddewisodd ildio i'r awdurdodau a wynebu llysoedd cyfraith Lloegr yn sgil hynny. Felly yr hyn y ceisir ei wneud yn y gyfrol hon yw rhoi darlun o'r bobl hynny ac adrodd hanes digwyddiadau cynhyrfus 1936 a 1937 yng Nghymru – y protestio a'r cynllwynio, paratoadau manwl y gweithredwyr ar noson y llosgi, yr achosion llys yng Nghaernarfon a'r Old Bailey a charchariad y Tri yn Wormwood Scrubs.

Yn ddiweddar cyhoeddwyd sawl cyfrol nodedig yn olrhain a dadansoddi syniadaeth a daliadau sylfaenwyr cynnar Plaid Cymru. Y bwriad yma fodd bynnag yw canolbwyntio mwy ar yr hanes – ar y gwneud yn hytrach na'r dweud. Oherwydd, wedi'r cyfan, fe gafodd y weithred ei hun fwy o effaith a dylanwad na holl gyfrolau, pregethau ac areithiau'r gweithredwyr.

Seilir llawer o'r gyfrol hon ar ddeunydd a gyhoeddwyd gyntaf yng nghofiant Lewis Valentine, ond fe'i addaswyd er mwyn rhoi lle canolog yma i'w gyd-weithredwyr a'i gyd-garcharorion – Saunders Lewis, pensaer y weithred yn ddi-os, a D J Williams, Abergwaun. Cofnodir hefyd gyfraniad pawb arall fu'n ymwneud â'r ymgyrch yn erbyn yr Ysgol Fomio a'r ymgais i ddinistrio adeiladau'r safle ym Medi 1936, a chanlyniadau'r ymdrech honno.

1

'Gwych annoethineb'

METHIANT GWLEIDYDDOL FU DEGAWD cyntaf Plaid Genedlaethol Cymru.

Roedd y gobeithion yn uchel yn dilyn ei sefydlu ym Mhwllheli yn 1925. Rhoddwyd arweiniad athronyddol pendant i'r mudiad gan Saunders Lewis, a gallai'r Blaid newydd gyfrif rhai o ddeallusion disgleiriaf Cymru ymysg ei haelodau – yn cynnwys academwyr a llenorion amlwg fel D J Williams, Kate Roberts, Ambrose Bebb, J E Daniel a Griffith John Williams.

Er y disgwyliadau mawr am dorri tir newydd ym mywyd politicaidd Cymru, a sefydlu plaid a fyddai'n rhoi buddiannau'r genedl yn gyntaf, ni ddaeth unrhyw lwyddiant nodedig mewn etholiadau i ran y Blaid, na llawer o gynnydd chwaith ar y llwyfan gwleidyddol yn gyffredinol.

Darlunnir y symud ymlaen poenus o araf yma gan bleidlais y Blaid Genedlaethol mewn etholiadau cyffredinol yn sedd seneddol Sir Gaernarfon.

Lewis Valentine oedd llywydd cyntaf y Blaid newydd ac ef hefyd oedd ei hymgeisydd cyntaf mewn etholiad i senedd San Steffan yn Llundain, gan sefyll yn Sir Gaernarfon yn

Pwyllgor Gwaith Plaid Genedlaethol Cymru yn 1927.
(O'r chwith i'r dde: Lewis Valentine, Ambrose Bebb, D J Williams, Mai Roberts, Saunders Lewis, Kate Roberts, H R Jones, Prosser Rhys)

etholiad cyffredinol 1929. Enillodd Valentine, a oedd ar y pryd yn weinidog gyda'r Bedyddwyr ar gapel y Tabernacl, Llandudno, 609 pleidlais. Ddwy flynedd wedi hynny yn 1931, pleidleisiodd 1,136 o etholwyr y sedd i ymgeisydd y Blaid, J E Daniel. Hyd yn oed erbyn 1935, cwta 2,534 – ychydig o dan 7% – o bobl a bleidleisiodd i'r Blaid Genedlaethol yn yr etholaeth. Cafwyd gwell llwyddiant pan safodd Saunders Lewis am y tro cyntaf ar gyfer sedd Prifysgol Cymru yn 1931. Er mai ond 914 o bleidleisiau a gafodd roedd y ganran yn cyfateb i 26% o'r bleidlais. Er hynny llwyddodd Ernest Evans i ennill y sedd yn hawdd i'r Rhyddfrydwr gyda 2,229 o bleidleisiau.

Olynwyd Valentine yn llywydd gan Saunders Lewis, ond Saunders fu'r arweinydd *de facto* o'r cychwyn cyntaf mewn gwirionedd. Er bod rhai o'i syniadau gwleidyddol yn rhy geidwadol i deithi meddwl rhyddfrydol neu sosialaidd Cymru'r cyfnod, ac er i'w dröedigaeth at yr Eglwys Babyddol yn 1933, greu pellter rhyngddo â'r Gymru anghydffurfiol, roedd mwyafrif aelodaeth y Blaid yn derbyn ei arweiniad unplyg yn ddigwestiwn. Does dim amheuaeth y byddai bywyd wedi bod yn haws i arweinwyr y Blaid Genedlaethol pe na bai Saunders Lewis yn Babydd, ond nid oedd Saunders Lewis wedi'i eni i wneud bywyd yn hawdd i neb.

Er gwaethaf y dieithrwch yma yn naliadau a chymeriad Saunders Lewis, roedd elfen gref o *garisma* yn perthyn iddo; ac roedd hynny, ynghyd â'i weledigaeth ddiwyro, yn atyniadol iawn i drwch aelodau'r mudiad. Fel y dywedodd O M Roberts, un o'r aelodau ifanc mwyaf brwd a ddaeth maes o law yn un o hoelion wyth y blaid:

> Y prif reswm pam yr apeliai Saunders i ni'r hogiau ifanc oedd ei fod yn credu'n gydwybodol yn yr achos, yn gosod nod ac yn barod i ymgyrchu'n ddiflino at y nod hwnnw gan herio pawb a ystyriai ef yn elynion i Gymru - yn wleidyddion, yn gyfalafwyr ac yn Gymry cynffonllyd. Nid oedd y gair 'cyfaddawd' yn ei eirfa. Perffeithydd ydoedd ac, o edrych yn ôl, efallai ei fod yn ormod o berffeithydd.

Er gwaethaf eu teyrngarwch i'r Llywydd a'u brwdfrydedd dros yr achos, mae'n saff iddi fod yn ergyd i ysbryd a morâl yr aelodau selog i sylweddoli mai wrth droed y mynydd yr oedd y mudiad o hyd, a bod y copa mor bell i ffwrdd ag erioed.

Roedd yna fwrlwm ynghlwm â gweithgareddau'r Blaid ifanc serch hynny. Cynhaliwyd cyfres o ysgolion haf blynyddol llwyddiannus a llewyrchus, yn llawn afiaith cymdeithasol a sylwedd deallusol. Ond er gwaethaf y brwdfrydedd hwyliog a chwmnïaeth gynnes aelodau'r

Blaid Genedlaethol, roedd rhwystredigaeth ar gynnydd ymysg yr arweinwyr. Sylweddolai rhai o gymeriadau amlycaf y mudiad nad ar chwarae bach yr oedd cael y maen i'r wal. Mor gynnar ag 1930 ysgrifennodd D J Williams at Valentine yn mynegi ei farn: 'Ni wna Ysgol Haf unwaith y flwyddyn boed cystal ag y bo, byth argyhoeddi gwlad.'

Ffigur allweddol yng ngweinyddiaeth y Blaid Genedlaethol ar yr adeg hon oedd J E Jones. J E oedd ail ysgrifennydd cenedlaethol y Blaid, ac fe benodwyd ef i'r swydd ar ôl marwolaeth H R Jones, yr ysgrifennydd cenedlaethol cyntaf, yn 1930. Hanai J E Jones o Felin-y-wig, a graddiodd o Goleg Prifysgol Gogledd Cymru Bangor. Yn ystod ei gyfnod yn y coleg bu'n aelod amlwg o Gymdeithas y Tair G, un o'r mudiadau a arweiniodd y ffordd at ffurfio'r Blaid Genedlaethol. Rhinwedd fawr J E oedd meddwl trefnus, ac yn fuan iawn daeth yn ganolog i drefniadaeth gyfathrebu a gwybodaeth y Blaid ifanc.

Un o'r camau pwysicaf yn natblygiad trefniadaeth y Blaid oedd sefydlu Pwyllgor Bangor, neu'r 'Pwyllgor Bach'. Fel y nodwyd eisoes, Saunders Lewis oedd yr arweinydd athronyddol heb os, ac roedd yn prysur wneud enw iddo'i hun fel beirniad llenyddol a darlithydd yng Ngholeg Prifysgol Cymru Abertawe. Roedd y rhelyw o'r aelodau blaenllaw yn y gogledd serch hynny, ac yn anorfod fe olygodd hynny mai aelodau'r Pwyllgor Bach oedd yn gwneud llawer o'r gwaith ymarferol allweddol o drefnu ymgyrchoedd a llunio propaganda'r mudiad. Roedd y pwyllgor yma o bwysigrwydd hanfodol i weithgaredd y Blaid. Yr aelodau oedd J E Jones, J E Daniel, Ambrose Bebb a Lewis

Valentine. Yn swyddogol, bwrdd golygyddol cylchgrawn Cymraeg y mudiad, *Y Ddraig Goch,* oedd y pwyllgor, ac fe gyfrannai'r pedwar erthyglau rheolaidd i'r cylchgrawn, ond, mewn gwirionedd, roeddent yn penderfynu ar lu o eitemau eraill yn cynnwys llunio rhaglen yr Ysgol Haf bob blwyddyn a phenderfynu ar y rhan fwyaf o ymgyrchoedd a gweithgareddau'r Blaid. Cyfarfyddai'r 'Pwyllgor Bach' bob pythefnos, ac weithiau'n amlach na hynny, rhwng 1930 ac 1939. Amrywiai lleoliad y cyfarfodydd, o swyddfa J E Jones yng Nghaernarfon i lety J E Daniel neu gartref Bebb ym Mangor.

Bu siarad am ddulliau ymgyrchu yn gyson yn y cyfnod hwn, ac roedd rhai aelodau am ddilyn llwybr anufudd-dod sifil yn ogystal ag ymladd etholiadau. Yn 1929 ac 1931 rhoddwyd ystyriaeth gan y Blaid i wrthod talu trwyddedau oherwydd gwasanaeth diffygiol y BBC yn Gymraeg. Ond ni ddaeth dim o'r peth. Er hynny wrth i rwystredigaeth gynyddu yn y rhengoedd, yn enwedig ymysg yr aelodau ifanc, penderfynodd Pwyllgor Bangor fod angen i'r Blaid ddangos ei bodolaeth mewn ffordd fwy gweladwy a thrawiadol.

Daeth cyfle i wneud hynny yn 1932, pan wrthododd *Ministry of Works* y Llywodraeth Brydeinig hedfan baner y Ddraig Goch yn gyfochrog â Jac yr Undeb ar Ddydd Gŵyl Dewi. Penderfynwyd trefnu gweithred symbolaidd gan aelodau'r Blaid i dynnu sylw at yr anghyfiawnder. Trefnwyd bod pedwar o aelodau'r Blaid – J E Jones, W R P George, E V Stanley Jones a Wil Roberts – yn dringo Tŵr yr Eryr yng nghastell Caernarfon a thynnu baner Jac yr Undeb i lawr a chodi'r Ddraig Goch yn ei lle, gan staplu'r rhaffau wrth y polyn. Roedd y 'Pwyllgor Bach' wedi trafod a pharatoi'n fanwl ar gyfer y weithred, ac aeth J E â rycsac a morthwyl a staplau gydag ef.

Safodd y pedwarawd ar risiau cul y tŵr er mwyn atal swyddogion y castell rhag dod i fyny i dynnu'r faner i lawr. Ymhen hanner awr cyrhaeddodd yr heddlu, a chymerwyd enwau'r gweithredwyr ac adfeddiannwyd Jac yr Undeb gan swyddogion y Goron. Yn y prynhawn daeth criw o goleg Bangor i'r castell dan arweiniad R E Jones, Llanrwst, a thalwyd tâl mynediad i fynd i mewn. Llwyddodd y myfyrwyr i fynd i'r tŵr trwy wasgu eu hunain trwy hollt saethu yn y mur a bachu baner yr undeb. Er gwaethaf sawl cynnig, methwyd â llosgi'r faner, felly penderfynwyd ei rhwygo'n ddarnau mân.

Roedd Saunders Lewis wrth ei fodd â hyn, ac ysgrifennodd yn y *Western Mail*:

> With one brilliant, challenging blow on St David's Day 1932, four young men in Caernarfon gave notice to the world that a new spirit has arisen in Wales, and that it has a Welsh Nationalist Party that will not suffer insult to the banner of Wales nor the exaltation of the imperial banner of England on the special day of the Welsh nation.

Dangosodd gweithred Tŵr yr Eryr fod modd i ddulliau anghyfansoddiadol, o'u trefnu'n iawn, lwyddo i newid pethau, oherwydd yn 1933 cafwyd seremoni ffurfiol yng nghastell Caernarfon lle codwyd y Ddraig Goch ar bolyn wrth ymyl Jac yr Undeb, gan neb llai na Lloyd George ei hun.

Wedi hyn, daeth yn eglur fod ymdeimlad ymysg aelodau ifanc a rhai o arweinwyr y Blaid fod angen defnyddio dulliau mwy anghonfensiynol. Ymysg y rhai mwyaf brwd i weld symudiad o'r fath tuag at weithredu uniongyrchol gan y Blaid roedd Lewis Valentine. Yn ei adroddiad ar yr Ysgol Haf yn y *Ddraig Goch* ym Medi 1933, wrth weld ymateb yr aelodau i siaradwr o Iwerddon, dywedodd Lewis Valentine:

> ... gwych oedd gweld ysbryd gwrthryfel ymysg llu o'r aelodau. Nid ysbryd gwrthryfel anystyriol a feddyliwn, ond ymdeimlad fod yn rhaid gwneud rhywbeth mwy na dadlau'n glên â phobl, ac annerch cyfarfodydd a gwerthu'r *Ddraig Goch*. Y mae 'gwych annoethineb' yn dyfod i nodweddu nifer o aelodau'r Blaid, ac awydd i wrthsefyll y dinistrio sydd ar wareiddiad Cymru drwy ddulliau eraill.

Cyn hir deuai cyfle i Valentine a'i gymheiriaid droi'r dyheadau am 'wych annoethineb' yn weithredoedd go iawn.

Darn o Jac yr Undeb ar ôl protest Tŵr yr Eryr

2

'The Gandhi of Wales'

FEL Y SONIWYD EISOES, blynyddoedd anodd fu dechrau'r tridegau i'r Blaid Genedlaethol. Yn groes i obeithion yr arweinwyr ni welwyd twf sydyn nac ymchwydd o wladgarwch Cymreig.

Yn wahanol i wledydd bach eraill fel Iwerddon a Tsiecoslofacia, ni welwyd blodeuo cenedlaetholdeb gwleidyddol yng Nghymru. Roedd Saunders Lewis yn edmygydd mawr o Tomáš Masaryk, yr academydd a'r gwleidydd a arweiniodd frwydr Tsiecoslofacia dros annibyniaeth yn negawdau cyntaf yr ugeinfed ganrif. Cafodd llwyddiant plaid Sinn Féin a'r IRA yn rhyfel annibyniaeth Iwerddon ddylanwad arwyddocaol hefyd ar y genhedlaeth hon o Gymry gwladgarol, Lewis Valentine a D J Williams yn eu plith. Yn wir bu Valentine mewn cysylltiad â rhai o aelodau Sinn Féin yn ystod ei arhosiad mewn ysbyty milwrol yng Ngogledd Iwerddon ar ddiwedd y Rhyfel Byd Cyntaf a threfnodd brotestiadau o blaid achos y Gwyddelod yn ei gyfnod fel llywydd y myfyrwyr yng Ngholeg Bangor. Er gwaethaf argyhoeddiadau heddychol llawer o'r cenedlaetholwyr ifanc hyn, roedd yno ddeuoliaeth yn yr edmygedd o lwyddiant gweriniaethwyr Iwerddon, ac yn sicr nid heddychwyr oedd pobl fel Michael Collins ac Eamonn DeValera.

Er bod llawer o ddeallusion Cymraeg mwyaf disglair eu cenhedlaeth wedi'u darbwyllo o gyfiawnder achos hunanlywodraeth i Gymru, a llawer ohonynt wedi ymuno â'r Blaid Genedlaethol, roedd trwch y boblogaeth yn bell o fod wedi'u cyffroi gan y pwnc. Yr hyn roedd ei angen ym marn Saunders Lewis oedd achos ac ymgyrch i hoelio sylw'r genedl.

Yn benodol, roedd Saunders Lewis am gael digwyddiad a fyddai'n denu sylw at achos Cymru yn 1936 gan ei bod yn bedwar canmlwyddiant Deddf Uno 1536. Cyhoeddodd ei obaith yn y *Welsh Nationalist*, papur Saesneg y Blaid Genedlaethol:

> Among all the years of the twentieth century, the year 1936 should be kept in Wales as an especial year of affirmation – the affirmation of Welsh nationality, the denial of the validity of the disgraceful Act of Union ... 1936 should be pre-eminently the year of Welsh national affirmation.

Mae'n siŵr fod esiampl Gwrthryfel y Pasg 1916 yn Nulyn, a'r modd y llwyddodd y weithred honno i danio'r mudiad cenedlaethol yn Iwerddon, yng nghefn meddwl rhai o'r aelodau mwyaf tanllyd. Fe wyddai'r mwyaf hirben nad Iwerddon oedd Cymru, ac fe fynegodd Saunders Lewis mor gynnar ag 1927 ei farn fod problemau Cymru ac Iwerddon yn gwbl wahanol. Eto i gyd, roedd teimlad cyffredinol fod angen rhyw achos i danio'r genedl a rhoi ail wynt yn hwyliau'r Blaid Genedlaethol.

Daeth cyfle ar gyfer ymgyrch o'r fath yn sgil y ffaith fod Cyngor Tref Castell-nedd wedi gwahodd sioe amaethyddol y *Bath and West* i ymweld â'r ardal. Penderfynodd y Blaid ymgyrchu yn erbyn hyn, gan ddadlau y byddai cynnal sioe amaethyddol Seisnig ar dir Cymru yn sarhad cenedlaethol ac yn peryglu dyfodol y Sioe Amaethyddol Frenhinol. Aethpwyd mor bell ag ystyried cynnal gweithred o anufudd-dod sifil ar faes y sioe, ond yn haf 1935 daeth gwrthrych protest fwy ffrwythlon i'r amlwg.

Ymddangosodd adroddiad yn y *Manchester Guardian* yn amlinellu bwriad y Weinyddiaeth Awyr i godi ysgol fomio ar dir Penyberth ar Benrhyn Llŷn. Bwriad y ganolfan fyddai hyfforddi peilotiaid mewn technegau bomio o'r awyr, a thrwy hynny dechrau paratoi'r Llu Awyr ar gyfer y rhyfel mawr nesaf.

Adwaith llywodraeth Geidwadol Stanley Baldwin i'r symudiad i ailarfogi ar draws Ewrop ynghanol y tridegau oedd y penderfyniad i godi ysgol fomio. Oes twf a gwrthdaro Ffasgaeth a Chomiwnyddiaeth oedd hon, gyda digwyddiadau megis Rhyfel Cartref Sbaen, penderfyniad Hitler a'r Natsïaid i ailarfogi'r Almaen, ac ymosodiad Mussolini ar Abyssinia yng ngogledd Affrica yn codi'r tymheredd gwleidyddol ac yn cynyddu'r tebygolrwydd o ryfel Ewropeaidd arall. Felly, ym Mehefin 1935, cyhoeddodd Syr Philip Sassoon, is-ysgrifennydd yn y Weinyddiaeth Amddiffyn, mewn papur seneddol fod cynigion dan ystyriaeth i sefydlu gwersyll ymarfer a maes awyr i'r awyrlu ym Mhorth Neigwl yn Sir Gaernarfon.

Ar y dechrau ni chynhyrfwyd y dyfroedd rhyw lawer gan

y bwriad, ac araf oedd yr ymgyrchu. Lleisiwyd barn leol ar y pwnc pan anfonwyd llythyrau at y Prif Weinidog a'r Gweinidog Awyr yn protestio yn erbyn y datblygiad gan Bwyllgor Sir Gaernarfon y Blaid Genedlaethol. Yna ym mis Awst 1935 pasiwyd cynnig yng nghynhadledd flynyddol y Blaid Genedlaethol yn Rhuthun yn datgan y byddai'r Blaid yn gwrthwynebu sefydlu gwersylloedd rhyfel yng Nghymru.

Er nad oedd hynny'n amlwg ar y pryd, dyma fyddai man cychwyn yr ymgyrch fwyaf yn hanes cynnar y Blaid. O'r dechrau araf ym Mehefin 1935 hyd at ddiwedd haf 1936, arweiniodd canghennau'r Blaid wrthwynebiad nifer fawr o gyrff cyhoeddus ac enwadau ymneilltuol yng Nghymru yn erbyn sefydlu'r Ysgol Fomio.

Daeth y trobwynt allweddol yn nifrifoldeb yr ymgyrch rhwng Nadolig 1935 ac wythnosau cyntaf Ionawr 1936. Yn 'Nodiadau'r Mis' rhifyn Ionawr 1936 o'r *Ddraig Goch*, datgenir yn groch:

> A droir broydd Cymreig Llŷn yn faes ymarfer bomiau uffernol y Sais?
>
> A gaiff swyddogion Whitehall laswenu'n oer pan daerwn ni y cam a wna hynny i fywyd Cymreig a thraddodiadau Cymru? Bu'r Blaid Genedlaethol am ddeng mlynedd yn dafodog i Gymru a thros Gymru. Dechreuwn yr ail ddeng mlynedd drwy ddangos nad ein tafodau yn unig a gysegrwn ni i amddiffyn ein gwlad, eithr ein cyrff hefyd.

Gorffen yr erthygl gyda galwad ar fechgyn a genethod Cymru i wynebu 'gwawd a chas a dirmyg a chrechwen' a chan ddymuno blwyddyn newydd dda a chyfnod newydd yn hanes y Blaid Genedlaethol Gymreig. Saunders Lewis oedd awdur y geiriau hyn, ac fe gafodd y 'Nodiadau'r Mis' arbennig hyn gryn sylw yn y papurau Saesneg. Er y geiriau tanbaid a'r alwad i'r gad, nid yw'n gwbl eglur a oedd Saunders Lewis wedi penderfynu ar yr union bwnc neu'r weithred y byddai'n rhaid ei chyflawni i 'ddathlu' 1936.

Nid yng nghyhoeddiadau'r Blaid yn unig yr oedd sôn a siarad am weithredu uniongyrchol. Oherwydd rhwng Nadolig 1935 a Blwyddyn Newydd 1936, mewn adroddiadau papur newydd a ymddangosodd yn y *Guardian,* yr *Allied Dispatch* a'r *Western Mail,* cafwyd cyfeiriad at gymeriad dirgel o'r enw 'Mr X'. Mewn penawdau bras cyhoeddodd y *Western Mail* ar 31 Rhagfyr 1935:

> **Welsh Nationalists Become Passive Resisters**
> **Policy of Action to Replace Policy of Protest**
>
> Today I met a pseudomartyr. He hopes to be a brilliant scholar, and for his own sake I will call him Mr X.
>
> "We have talked long enough," he said: "The time has come to do something, and if our bodies are broken or our lives forfeit what will it matter if the end is achieved … All the churches and all the decent people in the country protested to the Government against the introduction of militarism into one of the loveliest spots in the country. The protest went unheard.
>
> "An English community will be formed in one of the main Welsh districts in Wales. The usual evils associated with English towns will follow.
>
> "I am urging Nationalists to go to Porth Neigwl and lay themselves across the road in front of the lorries taking building materials to the Air Station.
>
> "There may be deaths. There will certainly be imprisonment.

> But it is only by martyring ourselves that we can arouse Wales to a sense of its nationhood.
>
> "The best time for a movement to strike is when it is at its lowest ebb. Ireland cursed Patrick Pearse the day after the rebellion started in 1916 … but within six months seventy five per cent of the Irish nation were rebels.
>
> "A few Welshmen might die from English bullets. Their countrymen, however apathetic politically, will never tolerate that. Their sympathy will move them to action. It may be that our generation will call us damned fools. But the next generation will vindicate us. What I want to impress upon English people is that we are in deadly earnest."

Ychwanegodd y gohebydd yn goeglyd: 'Apparently the role of the Gandhi of Wales will be filled by Mr Saunders Lewis.' Yn naturiol ddigon, tybiai llawer o'r cyhoedd mai Saunders Lewis ei hun oedd y 'Mr X' bondigrybwyll, ond nid dyna oedd y gwir. Lewis Valentine oedd y dyn dienw. Gellir dadlau mai byrbwylltra oedd siarad cynhyrfus fel hyn, ond mae'n llawer mwy tebygol mai mynd ati'n fwriadol yr oedd Valentine er mwyn ymrwymo'r Blaid i weithredu'n uniongyrchol ar y llwyfan cenedlaethol, ac mai'r ffordd orau o wneud hynny oedd datgan y bwriad yn blwmp ac yn blaen mewn papur newydd. Os mai dyma'r amcan, fe lwyddodd, oherwydd un o ganlyniadau anuniongyrchol yr erthygl oedd sbarduno'r broses o fynd ati i gynllunio gweithred dor cyfraith yn erbyn yr Ysgol Fomio. Dadlenna'r cyfeiriad at ferthyron Iwerddon yn 1916 hefyd ei fod yn credu'n gryf yn yr angen am weithred hunanaberthol i ddeffro'r genedl.

Fe gododd yr erthygl dipyn o nyth cacwn, serch hynny.

Ysgrifennodd Saunders Lewis at J E Jones yn syth yn datgan ei bod 'braidd yn ddrwg gennyf am yr ymddiddan gyda Mr X yn y W.M. [*Western Mail*] heddiw … Dylai'r siarad ddod ar ôl y gwneud, yn hytrach nag o'i flaen.' Efallai iddo fod yn rhy frwd wrth annog ei gyd-aelodau yn ei erthygl yn *Y Ddraig Goch*, ac mae'n cyfaddef iddo fod 'ar fai yn sgrifennu cymaint ag a wneuthum yn y Nodiadau, ond meddyliais fy mod wedi bod yn ddigon cwestynol fy arddull a heb addo dim. Ond wele "Mr X" wedi cyhoeddi bwriad pendant. Mawr obeithiaf y try ei addewid yn ffaith wirioneddol …'

Er nad yw'n debygol fod Saunders Lewis yn gwybod pwy yn union oedd 'Mr X', ac na wyddai am unrhyw fwriad gan aelod mor flaenllaw â Valentine i siarad â'r wasg, mae'n siŵr ei fod yn amau'n gryf mai un o aelodau'r Pwyllgor Bach oedd y dyn anhysbys. Apeliodd Saunders Lewis at yr Ysgrifennydd i geisio dylanwadu ar aelodau pybyr y Blaid yn Arfon 'i beidio ag addo na bygwth dim, ond trefnu yn drylwyr a gweithredu – a siarad yn gyhoeddus wedyn'. Cyn cloi fe ychwanega nad yw am 'geryddu brwdfrydedd "Mr X" (pwy bynnag yw) o gwbl, ond yr wyf yn bryderus iawn rhag iddo ef ac eraill fethu cyflawni ar ôl bygwth'.

Bu'r erthygl yn ddigon i gynhyrfu J E Jones yn arw. Mewn llythyr ar Ddydd Calan at Saunders Lewis haera J E fod y wasg yn gwneud 'hafoc' â 'Nodiadau'r Mis', gan gyfaddef ei fod ef ei hun wedi rhoi peth deunydd i ohebydd y *Dispatch*. Dywed J E iddo wneud ei orau i 'roddi'r lliw iawn ar y Nodiadau' ond dywed fod hynny'n anodd, gan fod Valentine, ym mherson Mr X, wedi datgelu llawer gormod am fwriadau'r Blaid. Ar yr un diwrnod ysgrifennodd at Valentine, ac o dôn y llythyr mae'n deg tybio ei fod yn gwybod o'r dechrau mai ef oedd y gŵr dienw. Credai J E fod 'Mr X' wedi bod yn rhy wyllt ac wedi agor ei geg yn ormodol, gan beryglu holl gynlluniau'r Blaid ar gyfer ymgyrch yr Ysgol Fomio. Pwysleisiodd yr Ysgrifennydd wrth Valentine, am ei fod wedi siarad am weithredu, ei bod hi'n 'eithriadol o bwysig gweithredu ynglŷn â Phorth Neigwl'. Dywedodd fod y Pwyllgor Gwaith yn gofyn i Bwyllgor Sir Gaernarfon 'weithredu ynglŷn â'r mater. Cyferfydd y Pwyllgor Sir ddydd Sadwrn. O bawb a ddylai fod ynddo chwi yw hwnnw; dyna fy nghred bendant.'

Ar 2 Ionawr anfonodd y Llywydd lythyr at J E, yn gofyn iddo gyfleu ei safbwynt i Bwyllgor y Blaid yn Sir Gaernarfon. Ynddo pwysleisiodd nad oedd yn feirniadol o eiriau Valentine fel y'u hadroddwyd yn y papurau newydd, a rhoddodd gerbron gynllun manwl ar gyfer y ffordd ymlaen:

1 Nid wyf mewn un modd o gwbl yn condemnio dim ar awgrymiadau Mr X yn y *Western Mail.*

2 Ond fy marn yw mai ar ôl gweithredu y dylid siarad yn gyhoeddus, ac nid cyhoeddi bwriadau cyn bod unrhyw baratoadau mewn llaw.

3 Ond gan fod cynllun a bwriad wedi eu cyhoeddi mor bendant peidied neb ohonom â thynnu dim yn ôl, eithr gwrthod dweud dim pellach wrth y wasg, a mynd ymlaen yn ofalus a phenderfynol i baratoi.

4 Dylid gwneud dau beth ar unwaith ddydd Sadwrn

i) Anfon dau neu dri i ardal Porth Neigwl i gael adroddiad ar gyflwr darpariadau'r llywodraeth er mwyn gwybod yn siŵr pa bryd y bydd ymyrraeth yn bosib ac effeithiol.

ii) Propaganda o dŷ i dŷ yn Lleyn i ddeffro cydwybod yr

> ardal … a chynnal cyfarfodydd, nid i brotestio yn erbyn y llywodraeth, ond i aeddfedu'r wlad ar gyfer yr act o ymyrraeth.
>
> 5 Pwysed Valentine ymlaen bellach, a rhowch chwithau bob cymorth trefnu a ddichon fod i'w helpu, apelio am wirfoddolion a chael y gweinidogion sy'n barod i gynorthwyo i gymryd arweiniad.

Awgryma Saunders hefyd y dylid sefydlu is-bwyllgor i drefnu a pharatoi ar gyfer y weithred, a chan ragweld y byddai'r bwriadau hyn yn ormod i rai, dywed: 'Ac os bydd rhai aelodau yn ofnus ac am dynnu'n ôl, rhowch wybod i Valentine y gall ef ddweud bod fy nodiadau i yn bennaf yn gyfrifol am y bwriad, a'i bod yn rhy hwyr yn awr i dynnu'n ôl heb ddwyn dirmyg ar y Blaid.'

Beth bynnag am ei gefnogaeth i eiriau 'Mr X' mae'n amlwg fod yr erthygl a byrdwn ei eiriau wedi gorfodi newid yn y cynlluniau:

> Fy mwriad gwreiddiol i oedd cychwyn gyda gweithred gymharol hawdd ei threfnu a hawdd ei chyflawni yn y Bath & West yng Nghastell Nedd, er mwyn arloesi'r ffordd ar gyfer y gamp anos lawer o ymosod ar Borth Neigwl … ond y mae ymddiddan Mr X yn y WM wedi achub fy mlaen, ac ni ellir yn awr beidio â gwneud Porth Neigwl yn brif wrthrych ymosodiad …

Dyma'r cyfeiriadau cyntaf at weithredu penodol yn erbyn yr Ysgol Fomio yng ngohebiaeth arweinwyr y Blaid, er ei bod yn anodd gwybod yn union a oedd Saunders Lewis eisoes wedi meddwl ei gwrthwynebu trwy gyflawni gweithred dor cyfraith cyn helynt 'Mr X'. Yn sicr ar ôl y cynnwrf yn y wasg, roedd y penderfyniad wedi'i wneud. Ar ôl bygwth

J E Jones (yn y canol) yn ymgyrchu yn y tridegau

cymaint nid oedd dewis bellach ond gweithredu. Cyn cloi ei lythyr ar 2 Ionawr amgaeir ôl-nodyn preifat gan Saunders sy'n mynegi ei gefnogaeth i Valentine:

> Hoffwn i Valentine gael gweld y llythyr hwn cyn i'r Pwyllgor Sir ei glywed – ac wedyn ei ddarllen neu beidio, fel y barnoch chwi ac ef orau. Os ef yw 'Mr X' y *Western Mail*, peidio â'i ddarllen a ddylid, oblegid fel y mae'n is-lywydd y Blaid mi fynnwn i bawb ddeall fy mod innau yn cefnogi ei ddatganiadau ac nad af yn groes iddynt heb alw'r Pwyllgor gwaith ynghyd fyth.

Dengys cywair y llythyr ei fod yn fwy na pharod i gefnogi Valentine yn enwedig 'os arwydd yw hyn ei fod ef yn cymryd arweiniad pendant y Blaid yn y gogledd'. Gorffenna trwy awgrymu geiriad cynnig Pwyllgor Sir Gaernarfon, a ddylai ddatgan 'rhywbeth i'r perwyl eich bod yn cymeradwyo symud ymlaen i baratoi ar gyfer llesteirio hyd at eithaf ein gallu adeiladu maes bomio yn Lleyn ac yn galw ar Gymru ac ar arweinwyr crefydd a chymdeithas gynnal ein dwylo yn yr achos a chyffroi barn gyhoeddus y wlad'. Ar 3 Ionawr ysgrifennodd J E at Valentine ynglŷn â'r mater:

> Gwyddoch fel y mae'r hanesion yn y papurau yn ystod y dyddiau diwethaf wedi cynhyrfu'r wlad yn fawr – y sôn am ein bwriadau ynglŷn â'r Ysgol Fomio. Deallaf mai chi yw'r Mr X a roddodd ddeunydd ar hyn i rai papurau. Ysgrifennais at SL y dydd o'r blaen … cefais lythyr heddiw; amgaeaf gopi ohono; fel y gwelwch, y mae'n sefyll yn gadarn y tu ôl ichwi ar y mater hwn; fel islywydd, ac yntau'n llywydd, y mae'n hanfodol iddo wneud hynny, wrth gwrs, gan fod cymaint o rym ymron yn yr hyn a ddywedwch chwi yn enw'r Blaid (neu yn eich enw eich hun o ran hynny) ag yn yr hyn a ddywed ef.

Dywed J E ei fod yn bwriadu siarad am y mater cyn cyfarfod Pwyllgor Sir Gaernarfon o'r Blaid, gan siarsio'n daer am gymryd gofal wrth roi deunydd i'r wasg na fyddai'n tynnu dim oddi wrth gryfder yr hyn a ymddangosodd eisoes, ond nad oedd ychwaith yn bygwth gweithredu neu'n rhoi awgrym o unrhyw weithredu pellach yn erbyn yr Ysgol Fomio.

Mewn llythyr pellach at Saunders Lewis ar 5 Ionawr mae J E yn adrodd am hynt y cyfarfod. Dywed fod cynnig Saunders wedi'i dderbyn a bod is-bwyllgor, yn cynnwys J P Davies, J E Daniel a J E Jones, wedi'i ffurfio i ymchwilio i 'fater dulliau gweithredu'. Noda hefyd fersiwn Valentine o'r cyfweliad a gafodd gyda'r gohebydd papur newydd:

> Dyma pa fodd y bu meddai [LV]: i gynrychiolydd yr "Allied" ddyfod ato a gofyn am sylwadau; iddo wrthod yn bendant gan na welodd mo'r Ddraig – Ac yna iddynt siarad ar fater Porth Neigwl a Valentine yn rhoi rhai syniadau ar y ddealltwriaeth pendant nad oeddynt i'w defnyddio. Eithr fe'u defnyddiwyd.

Cysylltodd J E Jones â J P Davies a gofyn iddo drefnu i fynd i Lŷn gyda J E Daniel i ymchwilio i'r gwaith a wnaed eisoes ar y safle ym Mhenyberth. Gweinidog ym Mhorthmadog oedd J P ac roedd yn heddychwr ymroddedig a fu'n wrthwynebydd cydwybodol yn y Rhyfel Mawr, ac yn un o gyfeillion Valentine ers dyddiau coleg pan fu'r ddau'n chwarae rhan flaenllaw mewn ymgyrchoedd i gymreigio Coleg Prifysgol Gogledd Cymru Bangor.

Yn dilyn yr holl gynnwrf, roedd yn glir erbyn 5 Ionawr fod Valentine am ysgwyddo'r cyfrifoldeb o arwain y mater yn y gogledd fel y dymunai'r Llywydd iddo wneud. Yn ddiweddarach, ysgrifennodd Valentine at J E Jones yn cynnig amryw o bwyntiau y dylid eu rhoi ar waith er mwyn codi'r tymheredd gwleidyddol. Ymysg y camau a gynigiwyd ganddo roedd cael 'Pasiffistwyr y Sir' ar ochr ymgyrch y Blaid, ac 'ystyried gweithredu', gohebu â phob gweinidog ac ysgrifennydd eglwys yn Sir Gaernarfon, a chynnal cyfarfod protest mawr gyda siaradwyr o bob carfan, gyda heddychwyr, sosialwyr ac ati yn annerch. Yn ychwanegol, awgrymodd y dylid trefnu diwrnod arbennig gyda chynifer o bobl â phosibl er mwyn 'blocio'r ffyrdd fel na allo gerbydau fynd hyd-ddynt i gario deunydd at ei godi', a hynny i ddigwydd un dydd yr wythnos neu'n amlach. Dengys awgrymiadau Valentine mai dulliau protestio ar batrwm *satyagraha* Mahatma Gandhi a mudiad cenedlaethol India oedd ar ei feddwl. Roedd ymgyrch annibyniaeth cenedlaetholwyr India yn erbyn yr Ymerodraeth Brydeinig wedi cipio'r penawdau yn y tridegau, a chipio dychymyg cenedlaetholwyr o heddychwyr yng Nghymru hefyd. Ond gweithred wahanol iawn oedd gan Saunders Lewis mewn golwg.

Bu Saunders yn gohebu unwaith eto â J E yn y cyfnod hwn gan ddatgan yn groyw ei farn ynghylch pa ddulliau y dylid eu mabwysiadu i fynegi gwrthwynebiad. Roedd yn gam allweddol, nid yn unig yn hanes y Blaid a datblygiad y mudiad cenedlaethol yng Nghymru, ond yn syniadaeth wleidyddol Saunders Lewis hefyd. Adeg sefydlu'r Blaid yn 1925 roedd wedi dadlau'n geidwadol yn erbyn penboethni rhai o'r aelodau, ond o fewn llai na deng mlynedd roedd wedi newid ei feddwl. Bellach, roedd y gŵr a daflodd ddŵr oer flynyddoedd ynghynt ar syniadau pobl fel H R Jones ynghylch gweithredu uniongyrchol yn anwesu'r math yna o dactegau, ac roedd yn awgrymu dulliau llawer mwy dramatig hefyd nag anufudd-dod sifil fel blocio ffyrdd neu feddiannu eiddo. Mewn geiriau hollol ddiamwys ac eglur datganodd:

> Am y modd i rwystro PN [Porth Neigwl] ni thâl dull Gandhi yno. Bydd yn rhaid llosgi'r tai awyrblan.

Cerdyn Nadolig yr ymgyrch yn erbyn yr Ysgol Fomio, Rhagfyr 1936

3

'Lloegr a'i llu yn llygru Llŷn'

PORTH NEIGWL OEDD Y pedwerydd dewis ar gyfer y gwersyll awyr, ac olew ar fflamau'r ymgyrch felly oedd llwyddiant ymgyrchoedd i wrthwynebu gwersylloedd tebyg mewn safleoedd hanesyddol a naturiaethol yn Lloegr. Yn Abbotsbury, Swydd Dorset, roedd yno elyrch yn nythu; yn Friskney, East Anglia, roedd dyfroedd pysgota o bwys; ac ar Ynys Lindisfarne, Northumbria, penderfynwyd peidio â pharhau â'r bwriad i godi ysgol fomio oherwydd y perygl i rywogaeth o hwyaid prin, yn ogystal ag arwyddocâd hanesyddol a chrefyddol y safle.

Roedd hynny, wrth gwrs, mewn gwrthgyferbyniad llwyr â'r modd y cafodd safle Penrhos ei drin, er bod y safle hwnnw hefyd o bwysigrwydd yn hanes Cristnogaeth ar Ynys Prydain. Roedd safle arfaethedig y maes awyr ynghanol llwybr hanesyddol y Pererinion i Ynys Enlli, ac ar y safle hefyd roedd ffermdy hanesyddol a hynafol Penyberth. Bu'r ffermdy ei hun yn gartref i deulu o uchelwyr lleol ac yn noddfa i feirdd Llŷn ac Eifionydd. Ymhlith y beirdd a ganodd i deulu Penyberth roedd Wiliam Llŷn, Wiliam

Cynwal a Siôn Phylip o Ardudwy. Lluniodd Gruffudd Hiraethog achau ac arfbais y teulu ac ymwelodd Lewis Dwnn hefyd i olrhain achau'r teulu. Mae achau Dwnn a Gruffudd Hiraethog yn dangos mai cangen o deulu'r Gwynfryn oedd teulu Penyberth a'u bod felly'n ddisgynyddion i Gollwyn ap Tangno, arglwydd Eifionydd ar ddechrau'r Oesoedd Canol. Am gyfnod roedd teulu Penyberth yn gefnogwyr brwd i'r Reciwsantiaid Catholig ac roedd yno gysylltiadau cryf gyda'r Reciwsant Robert Gwyn, mab i Siôn Wyn ap Thomas o Benyberth ac awdur tebygol *Y Drych Cristianogawl*, y llyfr cyntaf erioed i gael ei argraffu ar dir Cymru ar ddiwedd y 1580au.

Ddiwedd mis Ionawr 1936 roedd gan J E Jones wybodaeth i'w hadrodd wrth Valentine am waith ymchwil yr is-bwyllgor, ac fe'i hysbysodd hefyd o farn Saunders Lewis am y math o brotest a oedd yn addas yn ei farn ef:

Ffermdy Penyberth

> Bu'r Pwyllgor bach o dri yn ymweld â Lleyn wythnos yn ôl, a gweled nad oedd dim wedi ei ddechrau yno, namyn prynu'r tir. Yn wir deallaf nad ydyw'r cynlluniau am adeiladau, etc. wedi eu cwblhau eto. Rhoddodd JPD [J P Davies] adroddiad byr i'r Pwyllgor Sir arbennig ddydd Sadwrn ... Dywedodd SL yn ei lythyr un o'r dyddiau diwethaf, nad yw'n meddwl y gellir gweithredu dulliau Gandhi ynglŷn â'r lle hyn, ac y bydd raid "gwneuthur rhywbeth megis llosgi'r hangyrs".

Bu dyddiau cyntaf Ionawr 1936 yn dyngedfennol i'r Blaid Genedlaethol gan mai dyma pryd y penderfynwyd bod rhyw fath o weithred yn erbyn y bwriad i adeiladu ysgol fomio ar dir Penyberth yn anorfod. Felly, o ddechrau 1936 ymlaen, dilynodd y Blaid strategaeth gyfochrog o godi stêm a chydlynu ymgyrch gyhoeddus yn erbyn yr Ysgol Fomio, tra byddai paratoadau cyfrinachol ar droed ar gyfer llosgi'r adeiladau pren ar y safle. Yn ystod wythnosau cyntaf mis Chwefror, anfonodd Saunders Lewis lythyr ffurfiol at Valentine yn ei hysbysu o'i fwriadau ynghylch gweithredu yn erbyn yr Ysgol Fomio:

> 9, St Peter's Road
>
> Newton
>
> Mumbles
>
> 11.2.36
>
> PREIFAT
>
> Annwyl Val
>
> Yr wyf yn anfon atoch yn awr fel at is-lywydd y Blaid a'r arweinydd yn y Gogledd. Dyma fy nghais: bwriadaf siarad ar Borth Neigwl yn bennaf yn eich cynhadledd yn Sir Gaernarfon, Chwefror 29. Fy mwriad yw dadlau a chymell fel dyletswydd ar y Blaid y priodoldeb o roi tân i awyrlongau, hangars a barics y

> llynges awyr os codant hwy ym Mhorth Neigwl. Fy ngobaith yw y cymer y plismyn wedyn achos yn fy erbyn gerbron ynadon.
>
> A ydych chwi fel is-lywydd yn fodlon imi ddweud hyn, ac yn barod i dderbyn y canlyniadau – sef fy mod wedyn yn rhoi pob help a allaf i gario'r peth allan?
>
> Cofion cu iawn atoch fel teulu.
>
> SL

Rhoddodd Saunders Lewis ei gardiau ar y bwrdd, a herio ei gyd-aelodau yn y Blaid i'w ddilyn. Roedd y dull o weithredu a awgrymodd yn bell o'r syniad o brotest dorfol ac anufudd-dod sifil a wyntyllwyd cyn hynny. Dull a oedd yn llythrennol yn fwy ymfflamychol.

Ar fater yr egwyddor o wrthwynebu'r Ysgol Fomio roedd y Blaid yn hollol unedig. Llwyddodd yr ymgyrch i apelio at ddaliadau creiddiol yr aelodau – gallent ddadlau yn erbyn y Llywodraeth ar dir cenedlaethol, heddychol a Christnogol – ac ar sail amgylcheddol a diwylliannol yn ogystal. Felly i aelodau pybyr y Blaid Genedlaethol bu gwanwyn a haf 1936 yn un rhuthr gwyllt o ymgyrchu, deisebu a chanfasio yn erbyn 'Lloegr a'i llu yn llygru Llŷn', gyda datblygiadau newydd yn wythnosol.

Anerchodd Saunders Lewis gyfarfod blynyddol y Blaid yn Sir Gaernarfon gan amlinellu union ddiben yr Ysgol Fomio a rhoi disgrifiad byw a phroffwydol o'r rhyfel byd nesaf:

> Gwelir felly mai ail beth ac nid y peth pwysicaf yn y rhyfel nesaf fydd ymladd byddin arfog yn erbyn byddin arfog. Y byddinoedd awyr fydd bwysicaf yn y rhyfel hwnnw, a phennaf nod yr awyrblaniau bomio fydd dinistrio dinasoedd, eu llosgi a'u gwenwyno, troi gwareiddiad y canrifoedd yn ulw, gollwng i

> lawr, allan o ddiogelwch yr awyr, yr angau creulonaf ar wragedd a phlant a gwŷr di-arf a diamddiffyn, a sicrhau, os dianc rhai a'u bywydau ganddynt, na bydd nac annedd na bwyd i'w porthi nac aelwyd i'w cadw yn fyw. Bydd y byddinoedd awyrblaniau hyn mor niferus a nerthol fel na bydd y perygl i'r bomwyr eu hunain ond bychan … Mewn gwaed oer yr hyfforddir hwynt; mewn byr amser daw'r gelfyddyd yn arferiad; a phan ddisgynnant i'r ddaear wedi gorffen distryw gwareiddiad a chyflawni'r anfadwaith pennaf yn hanes creadigaeth Duw, os gofyn un iddynt wedyn 'Ym mhle y'ch hyfforddwyd chwi?' yr ateb fydd, 'Ym Mhorth Neigwl yn Llŷn ac yng nghyffiniau Ynys Enlli a Ffordd y Pererinion a Saint Cymru.'

Ar 19 Chwefror yn San Steffan gofynnodd Major Goronwy Owen, Aelod Seneddol Rhyddfrydol Sir Gaernarfon, i'r Is-Ysgrifennydd Awyr a oedd yn barod i roi addewid y byddai pob gofal yn cael ei gymryd i beidio â difwyno harddwch yr ardal a sicrhau cadwraeth adar a hen adeiladau wrth gynnal yr ymarferiadau bomio. Sicrhawyd yr Aelod Seneddol gan yr Is-Ysgrifennydd Syr Philip Sassoon y byddai pob gofal posibl yn cael ei gymryd o harddwch yr ardal, ac nad oedd dim perygl i hen adeiladau gan mai allan yn y môr y byddai'r bomio, a haerwyd, ar sail profiad mewn meysydd bomio eraill, na fyddai dim niwed yn dod i ran yr adar.

Ar 29 Chwefror cynhaliwyd y cyntaf o ddau gyfarfod cyhoeddus yr ymgyrch yn nhref Pwllheli. Ond nid oedd holl drigolion Llŷn yn unfrydol yn erbyn bwriad y Llywodraeth. Oherwydd yma cafwyd yr arwydd cyntaf o wrthwynebiad ffyrnig i ymgyrch y Blaid ymysg rhai o drigolion y dref, teimladau a fyddai'n poethi'n sylweddol dros yr wythnosau i ddod. Cynhaliwyd y cyfarfod yn festri capel Penmount yn y dref, a'r bwriad oedd clywed anerchiadau gan Saunders Lewis, Moses Griffith a J E Daniel. Fodd bynnag, tarfwyd ar y cyfarfod gan griw o bobl y dref a rhwystrwyd y tri rhag siarad. 'Cynnyrch y fasnach feddwol a chynffonnau ychydig o bobl llwfr diasgwrn cefn' oedd disgrifiad yr *Herald Cymraeg* ohonynt, ac yn ôl Cynan yn y *North Wales Weekly News,* tafarnwyr Pwllheli, a oedd yn awyddus i chwyddo eu henillion yn sgil sefydlu gwersyll milwrol parhaol yn y cyffiniau, oedd wrth wraidd y tarfu.

Os oedd rhai o bobl Pwllheli yn awyddus i weld canolfan y llu awyr yn y cyffiniau, nid felly sefydliadau Cymraeg amlwg y genedl. Un o'r cyrff cyhoeddus cyntaf i fynegi gwrthwynebiad i'r bwriad i godi'r Ysgol Fomio oedd Cymanfa Bedyddwyr Sir Gaernarfon, gyda Lewis Valentine yn rhoi'r cynnig gerbron. Dilynwyd hynny dros yr wythnosau a'r misoedd nesaf gan ddatganiadau gan lu o sefydliadau Cymraeg yn mynegi eu gwrthwynebiad, yn cynnwys Cyngor Urdd Gobaith Cymru, Plaid Lafur Sir Gaernarfon, Urdd Graddedigion Prifysgol Cymru, a phob un o'r enwadau crefyddol Cymraeg. Adroddwyd hefyd fod y cyfan ond un o gymdeithasau Cymreig a chapeli Cymreig Lerpwl wedi ymuno yn y gwrthdystiad a'r ddeiseb yn erbyn yr Ysgol Fomio. Ddiwedd Mawrth cyhoeddwyd llythyr yn y *Manchester Guardian* yn datgan gwrthwynebiad gan amryw o Gymry amlwg, yn eu plith yr heddychwr a'r gwrthwynebydd cydwybodol George M Ll Davies, yr Archdderwydd J J Williams, a'r Athro J E Daniel.

Ysgrifennodd Saunders Lewis, yn rhinwedd ei swydd fel llywydd y Blaid Genedlaethol, at Brif Weinidog Prydain, Stanley Baldwin, yn gofyn iddo ganiatáu cyfarfod ar fater o'r pwysigrwydd mwyaf, oherwydd bod 'corff pwysig o Gymry yn ystyried y bwriad yn un y gellir yn briodol aberthu rhyddid, ie roddi bywyd i lawr, er mwyn ei atal'. Troi clust fyddar a wnaeth Baldwin a gwrthod cais am gyfarfod o'r fath. Nid oedd arwydd fod angen i neb yn Whitehall gymryd cenedlaetholwyr Cymru o ddifrif. Adlewyrchiad o hynny mae'n debyg oedd y penderfyniad i godi'r Ysgol Fomio yng nghalon y Gymru Gymraeg er gwaethaf gwrthsafiad enwadau crefyddol a sefydliadau diwylliannol. Bernid bod mwy o bwysau y tu cefn i wrthwynebiad diwylliannol ac amgylcheddol mewn ardaloedd eraill yn Lloegr fel Northumbria a'r Wash, a'u bod yn haeddu mwy o ystyriaeth.

Yn gymysg â datganiadau cyhoeddus bu aelodau'r Blaid Genedlaethol yn brysur yn dosbarthu llenyddiaeth a chynnal gwrthdystiadau ar hyd Pen Llŷn – ym Mynytho, Abersoch, y Rhiw a Morfa Nefyn – a hefyd mewn mannau mor bell i ffwrdd â Phenmaenmawr a Rhuthun. Ganol mis Ebrill dechreuodd y gwaith o lefelu tir, tynnu cloddiau ac adeiladau, a gosod ffordd ar dir Penyberth er mwyn hwyluso'r gwaith o godi'r Ysgol Fomio. Tua'r un adeg cyfarfu Pwyllgor Gwaith y Blaid yn Aberystwyth, pan adroddodd J E Jones ar hynt yr ymgyrch hyd hynny. Dywedodd fod dros 500 o gyrff crefyddol a lleyg wedi gwrthdystio, fod y Major Goronwy Owen AS wedi gwrthod cyfarfod arweinwyr y Blaid i drafod y mater, ac nad oedd Lloyd George wedi cydnabod llythyr gan y Blaid yn ei wahodd yntau i'w cyfarfod, a bod dros 2,000 eisoes wedi arwyddo'r ddeiseb yn Llŷn. Erbyn mis Mai roedd y ffigur hwn wedi cynyddu i 4,000 o bobl.

Fel y gwelwyd eisoes, fodd bynnag, os oedd llawer o gyrff crefyddol a diwylliannol Cymru y tu cefn i ymgyrch y cenedlaetholwyr, nid felly amryw o drigolion Pwllheli. Croesawyd yr Ysgol Fomio gan Gyngor Tref Pwllheli ac, nid yn annisgwyl, pasiwyd cynnig yng nghangen y dref o'r Lleng Brydeinig yn cefnogi'r bwriad i godi'r gwersyll. Eisoes roedd rhai o bobl y dref wedi dangos eu hochr mewn ffordd ddi-flewyn-ar-dafod yn y cyfarfod a gafwyd yn festri Penmount ym mis Mawrth. Rhaid cofio mai cyfnod o ddirwasgiad oedd y tridegau, ac i lawer roedd datblygiadau milwrol, fel ffatrïoedd arfau a meysydd ymarfer i'r lluoedd arfog, yn cynnig gobaith am waith a ffordd o ddianc rhag caledi'r cyfnod. Nid oedd Sir Gaernarfon wedi osgoi effeithiau'r cyni economaidd chwaith, oherwydd erbyn 1936 roedd dros 21% o ddynion y sir yn ddi-waith. Nid yw'n syndod fod canran uchel o drigolion Pwllheli yn gefnogol i'r datblygiad economaidd arfaethedig a ddeuai yn sgil yr Ysgol Fomio. O reidrwydd felly roeddent yn siŵr o fod yn elyniaethus i ymgyrch y Blaid Genedlaethol. Ymgyrch a oedd mewn ffordd yn fygythiad i'w gobaith am swyddi yn y dyfodol.

Trefnodd y Blaid gyfarfod arall ym Mhwllheli ar 23 Mai, cyfarfod a fyddai'n drobwynt yn yr ymgyrch, yn agoriad llygad i lawer ac a fyddai, maes o law, yn dod yn rhan o chwedloniaeth yr ymgyrch. Y bwriad oedd

Gwrthdystiad 'Lloegr a'i llu yn llygru Llŷn'

cynnal cyfarfod mawr a defnyddio uchelseinydd i foddi unrhyw ymgais posibl i darfu ar y siaradwyr. Mae'n amlwg fod cryn densiwn cyn y cyfarfod, gan i Gymdeithas Diwaith Pwllheli a'r Cylch basio penderfyniad i bwyso ar ei haelodau i beidio ag aflonyddu o gwbl ar y Cyfarfod Mawr ar y trydydd ar hugain, ac i roi chwarae teg i'r siaradwyr ddadlau eu hochr.

Ar y diwrnod ei hun, adroddir bod rhwng chwech a saith mil o bobl yn bresennol ar y Maes ynghanol y dref, ac roedd llwyfan dros dro wedi'i godi ar gyfer y siaradwyr. Cadeiriwyd y cyfarfod gan yr Athro W J Gruffydd, a chafwyd croestoriad o gynrychiolwyr ymysg y siaradwyr, yn cynnwys Moses Griffith; yr Athro T A Levi, Aberystwyth; Saunders Lewis; Elwyn Jones, ymgeisydd Llafur Sir Gaernarfon; a'r gweinidog Methodist annibynnol ei farn, Tom Nefyn Williams. Roedd y cyfarfod wedi denu cefnogwyr y Blaid o bob rhan o Gymru a thu hwnt

– Caerdydd, y Rhondda, Abergwaun, Lerpwl, Llundain, Caerefrog ac Abertawe – er mai o Ben Llŷn, yn amlwg, y daethai'r rhan fwyaf o'r gwrthdystwyr.

Cyn dechrau'r cyfarfod canwyd alawon Cymreig gan Fand Nantlle, a cheisiwyd cychwyn yn ffurfiol trwy ganu emyn, ond roedd lleiafrif swnllyd ymysg y dorf a oedd yn benderfynol o ddifetha'r cyfarfod, a dechreuodd y rhain ganu caneuon anweddus a bloeddio rhegfeydd a sarhau'r siaradwyr.

Galwodd W J Gruffydd ar Tom Nefyn i annerch, a than ei arweiniad canwyd yr emyn 'Wele'r Dydd yn Gwawrio Draw' dro ar ôl tro er mwyn ceisio tawelu'r dorf. Pan ddaeth tro'r Athro Levi i siarad fodd bynnag, canfuwyd bod gwifrau'r meicroffon wedi'u torri. Yna, pan alwyd ar Saunders Lewis i draddodi ei anerchiad, aeth y gwrthwynebwyr yn benwan gan godi mwy fyth o dwrw. Er gwaethaf yr anawsterau serch hynny, mynnu gorffen ei araith a wnaeth arweinydd y Blaid.

Yn gohebu yno ar ran y *News Chronicle* yr oedd Caradog Prichard, ac mae ei adroddiad yn cyfleu'r cynnwrf a'r gwrthdaro yn fyw:

> **Factions Clash at Bombing School Protest Rally**
> **Battles for loud speaker**
> **Blows struck in struggle**
> **Novelist injured**
>
> Speakers shouting from an improvised platform erected on a circus roundabout in the town square, and a mass of swaying humanity beneath with a few policeman struggling to control the situation; rival factions singing Welsh hymns and "Rule Britannia".

> Such was the scene when a demonstration of some 6,000 people organised by the Welsh Nationalist Party against the erection by the Government of a bombing school at Hell's Mouth, near here, was held up yesterday by a small band of organised interrupters.
>
> Preachers and college professors had come to address the demonstration, which comprised Welsh people from as far as Cardiff and Swansea, and parties from London and York.
>
> At one time an ugly situation developed. The interrupters fought their way to a loud speaker and wrecked it.
>
> **Professor mobbed**
>
> Three times they put it out of action, after the Nationalists had recaptured it.
>
> Many blows were exchanged and protesting members of the audience were dragged away bodily. The interrupters took their stand near the platform and as soon as a band began to play a medley of Welsh airs, the shouting started.
>
> A pitched battle followed, in which several women were involved. Professor Ambrose Bebb, who had rushed to remonstrate with the interrupters, was set upon by six men. A number of college students rushed to rescue him, but not before he had been roughly handled.
>
> Several other Nationalists who joined in the fray bore marks of violence. Mr D J Williams, schoolmaster at Fishguard, was dragged to the outskirts of the crowd, with the head of one burly interlocutor tightly locked in his arms.
>
> Mr W J Davies, of Talysarn, the Welsh novelist, had several teeth knocked out, while another member of the party, Mr R J Jones, had his hands injured in the melee.

Wedi'r digwyddiadau cynhyrfus, Lewis Valentine a gafodd y dasg o gofnodi fersiwn y Blaid Genedlaethol o'r cythrwfl. Mewn erthygl yn *Y Ddraig Goch* ym Mehefin 1936, o dan y pennawd 'Bedydd Tân y Blaid Genedlaethol', dywed yr Is-lywydd fod y Blaid wedi dysgu llawer yn sgil y digwyddiadau ym Mhwllheli y diwrnod hwnnw:

> Sonnir weithiau am gyfarfodydd ac areithiau yn creu hanes, ac os bu hyn yn wir am ryw gyfarfod mawr cyhoeddus erioed, y mae'n wir am y cyfarfod aruthrol – nid oes air cymwys arall a'i disgrifia – y cyfarfod aruthrol a gynhaliwyd ar y Maes ym Mhwllheli brynhawn dydd Sadwrn, Mai 23.

Haera Valentine fod y cyfarfod yn gychwyn cyfnod newydd, nid yn unig yn hanes y Blaid Genedlaethol, ond yn hanes y genedl. Synhwyrir ei fod yn tybio i'r cyfarfod fod yn fuddiol ar sawl cyfrif. Yn un peth, datgelodd natur yr elyniaeth a fyddai'n wynebu'r Blaid – nid yn unig wrth ymladd ymgyrch yr Ysgol Fomio ond hefyd wrth geisio codi'r ymwybyddiaeth genedlaethol yng Nghymru. Peth disgwyliedig oedd dioddef atgasedd rhai oedd wedi elwa o'r drefn Brydeinig, ond bellach roedd elfennau gwaethaf cymdeithas yn cael eu hannog i ymosod ar y Blaid. Dywedodd:

> Y mae gennym ryw syniad bellach pa fath ar wrthwynebiad a fydd i'n herbyn. Yr ydys yn hen gynefin â dirmyg y gwŷr mawrion, ysweiniaid a ymbesgodd ar wasgu'r genedl, athrawon llugoer a swrth a chynghorwyr digyfrifoldeb – yr oeddym yn hen gynefin â'u brad hwy, ond dyma fath newydd ar wrthwynebiad, sef recriwtio ysgum cymdeithas o dafarnau i lesteirio'n cenadwri a'n brwydr dros werin Cymru.

Er gwaethaf yr ormodiaith, o ddarllen rhwng y llinellau, gwelir bod Valentine yn synhwyro mai buddugoliaeth bropaganda i'r Blaid oedd y ffiasgo. Oherwydd, fel y dywed yn ei erthygl, canlyniad anuniongyrchol y cyfarfod oedd rhoi mwy o sylw nag erioed i'r ymgyrch yn erbyn yr Ysgol Fomio: 'Bu yn fwy llwyddiannus na'n dychmygion gwylltaf, a'r tro hwn eto bu cynddaredd yr ychydig yn hwb dirfawr i'n hachos ni.' Dyna oedd barn *Y Faner* hefyd gan haeru, wrth drafod cyfarfod Pwllheli, 'onid ildia'r Llywodraeth, y mae'n debyg y bydd helynt ym Mhorth Neigwl llawer gwaeth nag a fu ym Mhwllheli'.

Dywed Valentine hefyd fod swyddogion y Blaid yn ymwybodol o fwriad y rhai y mae'n eu galw'n 'ciwethach Pwllheli' i darfu ar y cyfarfod, ond iddynt benderfynu parhau â'r cynllun i gynnal cyfarfod heddychlon. Amcangyfrifir mai tua deugain o bobl a fu wrthi'n torri ar draws y siaradwyr, ac y gellid bod wedi rhoi taw arnynt yn ddigon hawdd, ond bod y swyddogion wedi dewis peidio â mynd i ymrafael corfforol â hwynt. Yn wir roedd aelodau'r Blaid i'w canmol am ymatal

Cartŵn propaganda o gylchgrawn *Heddiw*

yn wyneb pryfocio di-baid arnynt. Cyhuddir y wasg Seisnig hefyd ganddo o roi 'arlliw cynhyrfus a chelwyddog ar lawer o'r digwyddiadau' ar y diwrnod.

Rhoddir canmoliaeth hael gan Valentine i ddyfalbarhad W J Gruffydd wrth gadeirio'r cyfarfod, a'r ffordd y llwyddodd i gyflwyno cynnig gerbron y gynulleidfa oedd yn datgan:

> Ein bod ni, sydd wedi ymgynnull ynghyd ym Mhwllheli ddydd Sadwrn, Mai 23, ac sydd yn cynrychioli pob rhan o Gymru a'r Cymry sydd ar wasgar, yn uno i ategu'r cannoedd protestiadau a wnaed eisoes yn erbyn yr Ysgol Fomio ym Mhorth Neigwl, ac yn galw ar y Llywodraeth i'w thynnu yn ôl yn ddi-oed ac yn gofyn i'r Prif Weinidog dderbyn dirprwyaeth yn cynrychioli yr holl brotestwyr er mwyn gosod yr apêl hon ger ei fron ef.

(Ar lefel bersonol fe arhosodd 'Cyfarfod y Bedydd Tân' yn fyw yng nghof Valentine. Ei atgof pennaf oedd cofio am ferched Pwllheli yn poeri arno, a chadwodd 'gôt y poeri', fel y'i galwai, am flynyddoedd wedyn.)

Yn y cyfamser, yn Nhŷ'r Cyffredin gofynnodd Robert Richards, Aelod Seneddol Llafur Wrecsam, i'r Is-Ysgrifennydd Awyr a oedd yn barod i ailystyried y penderfyniad i godi Ysgol Fomio. Ateb stoc a gafodd, gyda Syr Philip Sassoon yn dymuno cyfeirio'r Bonwr Richards at yr ateb a roddodd ychydig ddyddiau ynghynt i Goronwy Owen AS, pan ddatganodd fod y Llywodraeth yn bwriadu mynd ymlaen â'u cynlluniau. Hefyd yn senedd Llundain bu cryn glochdar am yr helynt ym Mhwllheli gan aelodau seneddol Ceidwadol, yn cynnwys Syr Edward Grigg, yr aelod dros Altrincham. Dywedodd Syr Edward ei fod yn hynod falch o glywed fod pobl wedi gwneud eu gorau i ddinistrio'r cyfarfod, a bod seiniau 'God Save the King' a 'Britons never will be slaves' wedi boddi lleisiau'r gwrthdystwyr.

Ganol yr haf roedd yn ymddangos bod teimladau'n parhau'n gryf. Rhoddodd yr Archdderwydd, y Parch. J J Williams, anerchiad gerbron Undeb yr Annibynwyr ym Mangor ym mis Mehefin gan sôn am "nerth ewyllys y Genedl Gymreig" i "symud ymaith" y gwersyll awyr "trwy ddulliau eraill" pe methai dulliau cyfreithlon. Parhaodd y lobïo a'r llythyru cyhoeddus, ac yn unol â phenderfyniad Cyfarfod Mawr Pwllheli, gwnaed cais i Stanley Baldwin i dderbyn dirprwyaeth. Cefnogwyd yr apêl hon gan amryw o ffigurau amlwg ym mywyd cyhoeddus Cymru, yn cynnwys, ymysg eraill, T Gwynn Jones, Ifor Williams, T H Parry-Williams, Ifan ab Owen Edwards a Dyfnallt. Nodai'r cais fod dros fil o gyrff cyhoeddus yn erbyn yr Ysgol Fomio. Nid yn annisgwyl, ymateb swta a gafodd y llythyr a anfonwyd at Baldwin. Yn ei ymateb ailadroddir y dadleuon dros sefydlu gwersyll ymarfer bomio gan y Prif Weinidog, gan ychwanegu nad oedd yn gweld unrhyw fudd ymarferol mewn derbyn dirprwyaeth i drafod y mater mor hwyr yn y dydd. Ym mis Gorffennaf cyflwynwyd deiseb ar ran pum mil a mwy o drigolion Llŷn i'r Senedd gan Goronwy Owen, AS Caernarfon. Derbyniodd y Prif Weinidog gopi llawn o Ddeiseb Llŷn a'r 5,300 o enwau; yn ogystal â deisebau o ardaloedd eraill a oedd yn cynnwys dros 5,000 yn ychwanegol o enwau.

Erbyn diwedd Awst byddai hen ffermdy hanesyddol Penyberth wedi'i chwalu, ac adeiladau a swyddfeydd pren y Weinyddiaeth Awyr wedi'u codi ar dir Penrhos. I bob pwrpas, roedd yr ymgyrchu torfol ar ben, ac annisgwyl o ddistaw fu'r Blaid ar y pwnc dros weddill yr haf.

Ar ben hynny, ac er mawr syndod i lawer, ni chafwyd fawr ddim sôn am yr Ysgol Fomio hyd yn oed yn Ysgol Haf Caerfyrddin ganol Awst – er bod Saunders Lewis yn ei anerchiad wedi datgan yr hoffai "weled agor canolfan yn arbennig ym Mhwllheli, i roddi ciniawau maethlon yn rhad i deuluoedd di-waith yno".

Siom oedd ymateb gohebydd *Y Brython* yn Ysgol Haf mis Awst hefyd:

> Hwyrach mai siom mwyaf yr Ysgol Haf oedd ei distawrwydd ar bwnc yr Ysgol Fomio ym Mhorth Neigwl. Fe wnaed cyfeiriadau ati: ... ond ni bu'r Ysgol Fomio yn bwnc trafodaeth, fel y cyfryw, ac ni wnaed dim pellach i'w rhwystro ... Gresyn er hynny bod y Blaid yn bodloni mor fuan i beidio a pharhau i wrthwynebu cynnydd bomio'r Llywodraeth, a sefydlu'r felltith yn Llŷn.

Roedd rheswm am y tawedogrwydd sydyn serch hynny, gan fod y rhan fwyaf o aelodau'r Blaid Genedlaethol yn ymwybodol bod rhywbeth ar fin digwydd. Ar ddydd Mawrth, 11 Awst, yn yr Ysgol Haf, cynhaliwyd sawl cyfarfod y tu ôl i'r llenni a rhoddwyd hawl i Saunders Lewis ddewis ei gynorthwywyr ar gyfer y weithred a symud ymlaen gyda'r trefniadau i ymosod ar yr Ysgol Fomio. Fel y dywedodd Lewis Valentine, yn dilyn chwalu ffermdy Penyberth a chodi cytiau gwersyll yr awyrlu, 'O hynny allan wedyn ... paratoi ar gyfer ein gwrthwynebiad mawr yna yr oeddan ni', ac roedd angen i'r trefniadau ar gyfer y gwrthwynebiad dramatig hwnnw ddigwydd yn y dirgel o olwg y cyhoedd.

4

'Achub anrhydedd cenedl'

DRWY GYDOL GWANWYN A haf 1936, yn gyfochrog â'r ymgyrchu a'r deisebu cyhoeddus, roedd paratoadau dirgel ar droed i drefnu gweithred o dor cyfraith ar safle'r Ysgol Fomio. Yn ganolog i'r gwaith trefnu hwn yr oedd Saunders Lewis ei hun. Ei benderfyniad ef yn y pen draw oedd mai gweithred o losgi'r adeiladau ar y safle fyddai'r dull mwyaf effeithiol o ddangos gwrthwynebiad, ac ef hefyd a ysgwyddodd y baich o lunio cynllun manwl ar gyfer noson y tanio.

Llanwyd bywydau yr aelodau hynny o'r Blaid oedd â rhan yn y cynllwyn â phrysurdeb anghyffredin, ac i'r dethol rai roedd mymryn o antur a chyfrinachedd ynghlwm â'r gwaith hefyd. Yn ychwanegol at y cynorthwywyr a oedd yn cadw golwg ar ddatblygiadau ar dir Penrhos, roedd eraill yn cludo negeseuon yn ôl a blaen ledled y wlad. Gweithredai Elwyn Roberts, a fu am flynyddoedd wedyn yn Drysorydd Plaid Cymru, fel dolen gyswllt rhwng J E Jones a Valentine. Penderfynwyd yn gynnar iawn nad doeth fyddai anfon llythyrau drwy'r Post Brenhinol rhag ofn i'r ohebiaeth syrthio i ddwylo'r heddlu. Ar y pryd roedd Valentine yn weinidog ar y Tabernacl, capel y Bedyddwyr yn Llandudno, a chan fod Elwyn Roberts yn gweithio yn y banc yn y dref, penderfynwyd y byddai'n fwy diogel iddo fynd â llythyrau yn uniongyrchol oddi wrth J E at Valentine yn bersonol. Canfu Elwyn Roberts nad ef yn unig oedd wrthi: 'Cofiaf fod yn dychwelyd o Gaernarfon yn hwyr un nos Sadwrn a phan safodd y trên yng Nghyffordd Llandudno daeth gwraig ifanc ataf a dweud ei bod hithau'n trosglwyddo gwybodaethau i Valentine. Ymestynnai'r rhwydwaith i Lŷn ac i olwg Penyberth.'

Wedi barnu mai dull y brotest fyddai llosgi'r adeiladau ar y safle, penderfynwyd wedyn y byddai tri o arweinwyr amlycaf y Blaid Genedlaethol yn cymryd cyfrifoldeb am y weithred ac yn ildio eu hunain i'r awdurdodau. Ni fyddent, serch hynny, yn gweithredu yn enw'r Blaid, ond yn hytrach fel unigolion. Er hynny, tasg rhy fawr i dri unigolyn fyddai tanio'r Ysgol Fomio ar eu pennau eu hunain, a gwnaed trefniadau i gasglu criw i gynorthwyo gyda'r gwaith ar y noson.

Pan ddaeth hi'n fater dewis y tri gweithredwr a fyddai'n ildio eu hunain, yr oedd Saunders Lewis yn wreiddiol yn awyddus i Valentine, fel is-lywydd y Blaid, aros â'i draed yn rhydd er mwyn gofalu am arweinyddiaeth a chyfeiriad y Blaid tra byddai ef, y Llywydd, yn y carchar. 'Doedd o ddim wedi fy newis i,' meddai, 'ac yr oeddwn i'n ddig iawn ...' Barnai Saunders y byddai Valentine yn fwy gwerthfawr yn trefnu ac yn arwain y Blaid ar y tu allan, ond dadleuai Valentine yn frwd yn erbyn hynny. Fe chwaraeodd ran mor fawr yn y trefnu a'r ymgyrchu, ymresymai, fel ei fod yn teimlo nad oedd yn deg ag ef ei atal rhag gweithredu, ac ef a orfu yn y ddadl yn y diwedd. Er bod un cofnod gan Ambrose Bebb yn nodi enw J E Daniel fel un o'r darpar weithredwyr, erbyn diwedd Awst roedd y penderfyniad terfynol ynghylch pwy fyddai'n cymryd cyfrifoldeb am y weithred wedi'i wneud ac roedd Lewis Valentine yn un o'r tri. Cafodd wybod yn ffurfiol ei fod wedi'i ddewis mewn llythyr ato gan Saunders Lewis ddechrau Medi 1936.

Bryd hynny cynhelid Undeb y Bedyddwyr yn Aberteifi, ac roedd Valentine yn aros gyda'i gyfaill David Lewis, Llandysul, perchennog Gwasg Gomer, cyhoeddwr cyfnodolyn y Bedyddwyr, *Seren Gomer*. Galwodd Saunders Lewis heibio i Landysul gyda'r llythyr, ond gan fod Valentine yn yr Undeb yn Aberteifi gadawodd amlen dan sêl yng ngofal David Lewis. Cafodd Valentine orchymyn i ddinistrio'r llythyr ar ôl darllen y cynnwys. Ynddo rhoddwyd gwybod mai D J Williams fyddai eu cydymaith yn y weithred, ac fe gyfarwyddwyd Valentine ymhellach i gysylltu â D J, a oedd hefyd yn yr Undeb yn Aberteifi. Dyna, beth bynnag, a ddywedwyd yn gyhoeddus gan Valentine wedi'r digwyddiad, ond mae'n deg tybio bod y ddau yn gwybod eisoes am eu rôl yn y llosgi, ac mai manylion ynglŷn â'r trefniadau terfynol oedd yn y llythyr, manylion megis dyddiadau, amseroedd, mannau cyfarfod ar y nos Lun dyngedfennol a swyddogaeth y tri ar y noson.

Ar y pryd roedd D J Williams yn gweithio fel athro Saesneg yn Ysgol Ramadeg Abergwaun, ac roedd eisoes yn adnabyddus fel awdur *Hen Wynebau*, cyfrol o bortreadau

D J Williams, Lewis Valentine a Saunders Lewis, 1936

byw o gymeriadau ei fro enedigol yn Rhydcymerau. Bu D J a Saunders yn hen gyfeillion ers iddynt sefydlu'r Mudiad Cymreig yn ôl yn y dauddegau, un o'r grwpiau a ddaeth ynghyd yn 1925 i ffurfio'r Blaid Genedlaethol. Roedd Valentine hefyd yn gyfaill mawr i D J, ac roedd y ddau yn enwog fel tynwyr coes hwyliog yn ysgolion haf y Blaid. Does dim amheuaeth felly fod Valentine yn llawen iawn o ddeall y byddai D J wrth ei ochr ar y noson. Nid sentiment yn unig oedd y rheswm dros ymfalchïo yn ei gyd-weithredwr, serch hynny, gan fod mwy o ddur yng nghymeriad D J nag a geir yn y darlun traddodiadol ohono fel y gŵr addfwyn o Rydcymerau. Cyn-baffiwr oedd D J, a fu hefyd yn gweithio fel glöwr ym maes glo de Cymru pan oedd yn ddyn ifanc, ac roedd y profiad eang yma o fywyd yn golygu bod yno fwy o galedwch yng nghymeriad D J nag a dybid yn aml. Roedd dogn go dda o ddur y tu ôl i anwyldeb 'y wên na phyla amser', a gallai fod yn llym iawn ar lafar ac ar bapur gyda'r rhai a welai fel gelynion yr achos.

Nid yw'n ymddangos bod penderfyniad y Llywydd i gynnal gweithred fwy ymosodol na blocio'r lôn wedi peri unrhyw dramgwydd o gwbl i Valentine. Iddo ef, fel Saunders, gweithredu yn enw Cymru yn erbyn Gwladwriaeth Lloegr oedd y peth pwysig. Ond er na chafodd Valentine na Saunders achos i betruso o gwbl ynghylch cyfiawnder y weithred yr oeddent ar fin ei chyflawni ('ches i ddim brath cydwybod o gwbl,' oedd geiriau Valentine), mae'n debyg i'r mater achosi peth pryder ac anesmwythyd i D J. Ac yntau'n 51 oed, roedd hefyd wyth mlynedd yn hŷn na'i gyd-gynllwynwyr. Dywedir i D J geisio darbwyllo Saunders a Valentine i feddwl ddwywaith gan awgrymu y dylai'r tri ymwadu â'u swyddi a chysegru eu hunain i fynd o amgylch Cymru i genhadu yn erbyn yr Ysgol Fomio, yn y gobaith y byddai hynny'n atal y bwriad. Gwrthod y dadleuon hynny a wnaeth Saunders a Valentine, a dyna a wnaeth D J ei hun yn y pen draw, ac er iddo gyfaddef iddo ddioddef gwewyr meddwl mawr ynghylch cyflawni'r weithred, ar ôl penderfynu gweithredu roedd D J yr un mor ddiwyro â'r ddau arall.

Er gwaethaf amheuon D J, mae'n drawiadol fod heddychwyr o argyhoeddiad fel Valentine ac yntau yn barod i gyflawni gweithred mor ymosodol yn erbyn eiddo'r wladwriaeth. Wedi'r cyfan nid protest o anufudd-dod sifil cymedrol oedd llosgi adeiladau'r Ysgol Fomio, ond nid heddychiaeth dawel ddigynnwrf oedd heddychiaeth D J serch hynny. Yn ddiweddarach mynegodd ei deimladau mewn llythyr o'r carchar at ei wraig Siân:

> Yr wyf i yn Basiffist o ran argyhoeddiad drwy f'oes. Ond rhaid addef bod nythfau ofnadwy o glyd a diogel i gachgwn mewn Pasiffistiaeth negyddol ddifenter … (Gwared Cymru rhag heddychiaeth sy'n gyfrwng i lwfrdra).

Adlewyrchir yr amwysedd o ran dulliau hefyd yn agweddau'r ddau ohonynt at fudiad gweriniaethol Iwerddon. Cyhoeddodd D J ei edmygedd o genedlaetholwyr Iwerddon ar sawl achlysur, ac yn achos Valentine, go brin y gallai ef fel heddychwr gymeradwyo mabwysiadu dulliau Gwyddelig i gyflawni nod gwleidyddol, ond prin iawn oedd ei feirniadaeth o'r rhai a ddefnyddiai ddulliau o'r fath. Gobaith cyson Valentine oedd y byddai'r Cymry yn deffro i argyfwng eu gwlad a'u hiaith cyn y byddai angen troi at unrhyw drais. Ceir cipolwg ar ei safbwynt mewn darn a ysgrifennodd ynghanol y dauddegau yng nghylchgrawn y capel yn Llandudno:

> Darllenasoch yn ddiau am Saeson yn Fflint yn chwerthin yn wawdlyd am ben y cynigiad i roddi lle amlycach i'r Gymraeg. Chwerthin am ben y Gymraeg yn ei chartref! Onid ydym yn genedl oddefgar? Mae'n dda i'r Saeson hyn ein bod yn caru heddwch. Ni fuasai eu bywyd yn Iwerddon yn werth grôt ar ôl y fath haerllugrwydd. Ond daliwn i garu heddwch ac hwyrach y cawn ninnau yn y man trwy rym moesol yr hyn a enillodd y Gwyddel trwy y cleddyf.

Gwahanol iawn oedd agwedd Saunders Lewis at ddulliau mwy ymosodol. Efallai oherwydd ei ddaliadau Catholig nad oedd y gydwybod heddychol anghydffurfiol Gymraeg yn pwyso mor drwm arno. Fel mewn sawl elfen arall o'i fywyd deallusol, tynnu'n groes i'r traddodiad hwnnw oedd ei duedd. Yn sicr nid oedd yn heddychwr o fath yn y byd – credai fod galwedigaeth milwr yn un anrhydeddus, ac roedd yn effro i'r caswir hanesyddol mai 'ar drais, a'r bygythiad o drais,' yr oedd llywodraethau a gwladwriaethau'r byd yn dueddol o wrando.

Eto i gyd roedd yn arwyddocaol iddynt benderfynu ildio i'r heddlu ar ôl cyflawni'r weithred. Mae'n debyg mai cyfuniad o egwyddor a thacteg oedd y penderfyniad yma. Yn sicr drwy gymryd cyfrifoldeb am y weithred roedd yn amlwg nad oedd cynllwyn yma i gychwyn ymgyrch o dor cyfraith parhaus, na chynllun chwaith i gychwyn ar gyfnod newydd o ymgyrchoedd 'di-drais' ar draws Cymru neu ddatgan egwyddorion dull newydd o weithredu gwleidyddol. Y bwriad yn syml, oedd cyflawni un weithred symbolaidd a fyddai'n ysgogi'r Wladwriaeth i ddwyn achos gwleidyddol yn erbyn tri gwladgarwr oedd wedi torri cyfraith Lloegr yn enw Cymru, yn y gobaith y byddai hynny yn arwain at drawsnewid y sefyllfa yng Nghymru o blaid y mudiad cenedlaethol.

Felly roedd y penderfyniad i losgi'r Ysgol Fomio ac ildio i'r heddlu ar ôl cyflawni'r weithred, yn cynnig asiad Cymreig o egwyddor 'physical force' cenedlaetholwyr Iwerddon a dulliau di-drais dilynwyr Gandhi.

* * * * * * *

Fel y soniwyd eisoes, yn ogystal â'r tri oedd i gymryd cyfrifoldeb am y llosgi, penderfynwyd hefyd y byddai angen cynorthwywyr eraill i'w helpu ar y noson. Roedd enwau'r pedwar yma i aros yn gyfrinach, ac ni fyddent yn ildio i'r heddlu. Yn wir, roedd yn hollbwysig na ddeuai'r awdurdodau i wybod amdanynt.

Y pedwar a ddewiswyd i gynorthwyo ar y noson oedd J E Jones, O M Roberts, Robin Richards a Victor Hampson Jones. Athro ifanc yn Ysgol Ganol Llandudno oedd O M Roberts ar y pryd, ac roedd ef, fel y tri arall, yn un o '*young turks*' mwyaf selog a brwd y Blaid. Ymhen amser fe ddaeth O M Roberts yn un o gonglfeini Plaid Cymru yng Ngwynedd ac yn gadeirydd ar y Cyngor Sir yn 1985. Yn ei hunangofiant dywed O M, a fu fel J E Jones yn aelod o Gymdeithas y Tair G yng ngholeg Bangor, iddo fynd ar ei wyliau i'r Almaen yn hytrach na mynychu Ysgol Haf Caerfyrddin. Pan ddychwelodd, roedd neges yn ei aros yn ei gartref yng Nglanrhyd Isaf, Llanwnda, i fynd i gyfarfod yn nhŷ'r cyfreithiwr E V Stanley Jones yng Nghaernarfon. Yno cyfarfu â J E Jones ac esboniwyd y cynllun wrtho, a gofynnwyd iddo ef, ynghyd â Robin Richards a Victor Hampson Jones, gymryd rhan ar y noson.

Athro o Faesteg oedd Victor Hampson Jones, a ddaeth maes o law yn un o sylfaenwyr Undeb Cenedlaethol Athrawon Cymru (UCAC), undeb a sefydlwyd yn unswydd i sicrhau bod gan athrawon Cymru undeb annibynnol Gymraeg i ofalu am eu buddiannau. Gweithiodd wedyn fel swyddog gydag UCAC a bu'n weithgar iawn hefyd gyda charedigion addysg Gymraeg a chenedlaetholwyr ym Morgannwg a Chaerdydd.

Aelodau'r Blaid yn Ysgol Haf y Bala yn 1937, gydag O M Roberts yn y cefn ar y chwith, J E Jones wrth ei ymyl a Victor Hampson Jones yn y canol (y chweched o'r dde yn y rhes gefn)

Bu Robin Richards yn olygydd y *Welsh Nationalist*, papur Saesneg y Blaid Genedlaethol, ac adeg y llosgi roedd yn ffermio tyddyn yn Nhresimwn ym Mro Morgannwg. Cymro Cymraeg o Ynys Môn oedd tad Robin Richards a aeth yn offeiriad gydag Eglwys Loegr, a chafodd y mab fagwraeth Seisnig mewn ysgol fonedd yng Nghaergrawnt a Choleg Merton, Rhydychen lle trodd at yr Eglwys Gatholig. Ar ôl cyfnod yn dysgu yng ngogledd Lloegr dychwelodd at ei wreiddiau Cymreig ac ymuno â'r Blaid. Yn ôl Saunders Lewis, un o rinweddau Robin Richards oedd meddwl ymarferol a'i barodrwydd hefyd i weithredu ar ei egwyddorion yn hytrach na siarad, ac roedd ganddo feddwl mawr ohono.

Yn 1936 roedd Victor Hampson Jones ar fin troi at yr Eglwys Babyddol, ond roedd Robin Richards eisoes yn rhan o'r cylch o genedlaetholwyr a oedd hefyd naill ai yn Gatholigion neu â chydymdeimlad mawr â Phabyddiaeth. Cylch a oedd yn cynnwys nid yn unig Saunders Lewis, ond aelodau eraill amlwg o'r Blaid Genedlaethol, fel J E Daniel, Gwent Jones ac R O F Wynne, sgweier plasty Garthewin yn Sir Ddinbych – un arall yr oedd Saunders Lewis yn ymddiried digon ynddo i ofyn iddo gynorthwyo'r gyda'r gwaith paratoi ar gyfer y noson.

O ystyried bod hanner y cynorthwywyr yn Gatholigion, ac o gofio mai Saunders Lewis oedd y prif gynllwyniwr, mae'n anodd credu mai cyd-ddigwyddiad llwyr oedd y ffaith arwyddocaol taw ar 8 Medi – dydd geni'r Forwyn Fair yn ôl y calendr Pabyddol – y trefnwyd i roi'r Ysgol Fomio ar dân.

Ddydd Gwener, 4 Medi, dychwelodd Lewis Valentine i Gaernarfon. Y diwrnod hwnnw cynhaliwyd y cyfarfod olaf cyn y weithred i gadarnhau'r trefniadau ar gyfer y nos Lun ddilynol. Yn bresennol roedd Saunders, Valentine, Bebb, Victor Hampson Jones, Robin Richards, O M Roberts, J E Jones a J P Davies. Yn nodweddiadol, rywsut, collodd D J y bws a bu'n rhaid i Valentine fynd yn ôl i Landudno ar ôl y cyfarfod i baratoi ei oedfaon ar gyfer y Sul. Gadawyd neges yn swyddfa'r Blaid yn hysbysu D J ei fod i gyfarfod Valentine ym Mangor am bump o'r gloch yr hwyr ar y nos Lun ddilynol, sef 7 Medi.

Ychydig ynghynt roedd Saunders Lewis wedi teithio i fyny i'r gogledd o Abertawe i dŷ ei fam yng nghyfraith yng Nghaergybi. Roedd Mrs Gilcriest hithau wedi gwau sachau i ddal y deunyddiau chwistrellu tanwydd. Roedd gan Mair, merch Saunders, gof o'r digwyddiad a hithau'n blentyn ar y pryd: 'Rwy'n cofio Nain yng Nghaergybi yn gwnïo sach i fy nhad a finnau'n gofyn "pam?". "Oherwydd mae D J, Val a finnau am fynd i'r wlad dros dro ac mae eisiau sach i gario'r pethau pwysig."'

Ddydd Sadwrn, 5 Medi, roedd Saunders Lewis wedi bod ym Mhenrhos gan aros o gwmpas i wylio'r safle. Roedd eisoes wedi bod ar *reconnaissance* yr wythnos flaenorol ar 29 Awst, ac ni welodd olwg o'r gofalwr ar y naill noson na'r llall. Yn unol â'r trefniant cafodd y caniau petrol eu storio ym mhlasty Garthewin ger Llanfair Talhaiarn, ac yna ar nos Sul, 6 Medi, fe'u cludwyd i Gricieth gan R O F Wynne, perchennog y plasty, lle trosglwyddwyd hwynt i ofal Saunders Lewis. Yn oriau mân bore Sul,

6 Medi, dychwelodd Saunders i Gaergybi at ei fam yng nghyfraith.

Ar y nos Lun, wedi i Margaret, gwraig Saunders Lewis, a'i mam, Mrs Gilcriest, bacio'r deunydd i gefn y car, teithiodd Saunders Lewis o Gaergybi i gyfarfod Valentine a D J ochr Ynys Môn i Bont y Borth, am naw o'r gloch y nos. Yn y car, mewn sach tu ôl i sedd y gyrrwr, roedd deg galwyn o betrol mewn tuniau, tair chwistrell bres, a chwe phecyn o ddeunydd cynnau tân.

Y prynhawn hwnnw roedd D J wedi cyfarfod â Valentine yn ôl y trefniant, a chan ei bod yn bwrw glaw mân aethai'r ddau i gysgodi ger Gerddi'r Pier ym Mangor er mwyn cael llonydd i siarad. Gorchwyl Valentine oedd dyrannu tasgau a briffio D J ynghylch ei ddyletswyddau ar y noson. Wrth drafod y manylion hyn gwelsant ffigur cyfarwydd yn mynd am dro ger Siliwen, sef R T Jenkins, yr hanesydd. Mae'n debyg iddynt gael ychydig o drafferth cael gwared ohono, ond ar ôl mân siarad fe lwyddwyd yn y diwedd trwy ddweud celwydd golau fod ganddynt 'gyhoeddiad pwysig' yn rhywle arall.

Cyfarfu'r tri o gwmpas naw o'r gloch yn unol â'r trefniant ac yna aethant i gael swper o gwmpas hanner awr wedi naw yng ngwesty'r Victoria, Porthaethwy. Yno, dros bryd o fwyd, y llofnododd y tri lythyr at Brif Gwnstabl Sir Gaernarfon yn hawlio cyfrifoldeb am y weithred. Yno hefyd y llofnodwyd llythyr a luniwyd gan Saunders Lewis yn datgan mai fel unigolion y gweithredai'r tri gan ddatgysylltu'r Blaid Genedlaethol yn swyddogol oddi wrth y weithred oedd ar fin ei chyflawni.

Diben hyn oedd pellhau'r Blaid yn ffurfiol oddi wrth y llosgi a diogelu swyddfa'r Blaid rhag cael ei meddiannu gan yr heddlu. Mae'n bosib i D J fod yn fwy nerfus na'r ddau arall, ac efallai mai hynny a oedd i gyfrif am y troeon trwstan a gysylltir ag ef ar y noson. Tua hanner awr wedi deg y digwyddodd un o chwedlau enwocaf yr hanes pan anafodd D J ei hun. Torrodd ei fys trwy droi rasal rownd a rownd ei fysedd ym mhoced ei wasgod – mewn pwl o nerfusrwydd mae'n debyg – a bu'n rhaid mynd ar ras wyllt at y meddyg, Dr J M Thomas, Bryn Rheidiol, Porthaethwy. Yn dilyn y cynnwrf bychan hwnnw, ac ar ôl rhagor o gelwydd golau yn sgil chwilfrydedd y meddyg, teithiodd y tri yn eu blaenau i Ben Llŷn.

Bu'r paratoadau ar gyfer y weithred yn fanwl a gofalus. Tra oedd y tri yn cyfarfod ym Mhorthaethwy roedd y pedwar arall hefyd yn rhoi'r cynllun ar waith. Y bwriad oedd iddynt wisgo hen ddillad wrth daenu'r petrol ac yna cael gwared ohonynt ar ôl cyflawni'r weithred. Cyn hynny aeth J E Jones ac O M Roberts ati yn nhŷ O M yn Llanwnda i dynnu'r botymau a'r labeli oddi arnynt. Pwrpas hyn, mae'n debyg, oedd difa tystiolaeth rhag ofn i rywun allu eu cysylltu â'r weithred ar ôl iddynt daflu'r dillad. Roedd yn bwysig na ddeuai neb i wybod am ran y pedwar cynorthwywr yn y weithred, gan mai dim ond D J, Saunders a Valentine oedd i gymryd cyfrifoldeb am y tân. Yn y cyfamser teithiodd Robin Richards a Victor Hampson Jones i fyny o'r de i gyfarfod â J E ac O M. Y bwriad oedd codi'r ddau ohonynt wrth iddynt gerdded ar hyd y ffordd o Lanwnda i gyfeiriad plas Glynllifon.

Ar ôl cyfarfod aeth y pedwar wedyn ymlaen i Lithfaen nes gweld car Saunders Lewis, a oedd eisoes wedi cyrraedd o Borthaethwy. Yna, ar ôl torri gair sydyn, teithiodd y saith yn eu blaenau mewn dau gar ar hyd y cefnffyrdd nes cyrraedd Rhydyclafdy am hanner awr wedi hanner nos. Parciwyd ychydig oddi ar y ffordd mewn eithin ar y mynydd-dir gerllaw'r lôn y tu draw i Rydyclafdy ar ochr Pwllheli. Nid oedd hi'n bwrw glaw ym Mhen Llŷn ar y noson, ond fe chwythai gwynt cryf o gyfeiriad y de-orllewin. Ar ôl gadael y ceir, cerddodd y criw dros y gefnen wedyn i safle'r maes awyr arfaethedig, gan gario'r deunyddiau cynnau tân, ynghyd ag offer ymarferol fel rhaff a phleiars i dorri gwifrau. Gwisgent sanau am eu hesgidiau a menig am eu dwylo. Aeth Robin Richards ac O M Roberts o gwmpas y gwersyll un tro olaf i wneud yn siŵr nad oedd neb yno. Roedd y rhaff yn eu meddiant rhag ofn y byddai'n rhaid 'clymu'r gwyliwr nos a mynd ag ef i le diogel', ond ni welwyd neb.

Saunders Lewis oedd ysgogydd pennaf y bwriad i losgi'r Ysgol Fomio ac ef hefyd oedd pensaer y noson. Ef fu yng ngofal y trefniadau o sicrhau deunyddiau pwrpasol ar gyfer y weithred ac ef a gynlluniodd y 'cyrch' ar safle Penrhos. Rhannwyd y safle yn dair ganddo: cyfrifoldeb Valentine a J E Jones oedd pen dwyreiniol y safle, gyda Saunders Lewis ac O M Roberts yn gyfrifol am yr ochr ddeheuol, ac ardal y storfa oedd ar hanner ei adeiladu oedd maes llafur D J a Victor Hampson Jones. Tasg Robin Richards oedd cadw golwg. Arllwysid y petrol i dun bisgedi gan un gweithredwr tra byddai'r gweithredwr arall yn sugno'r

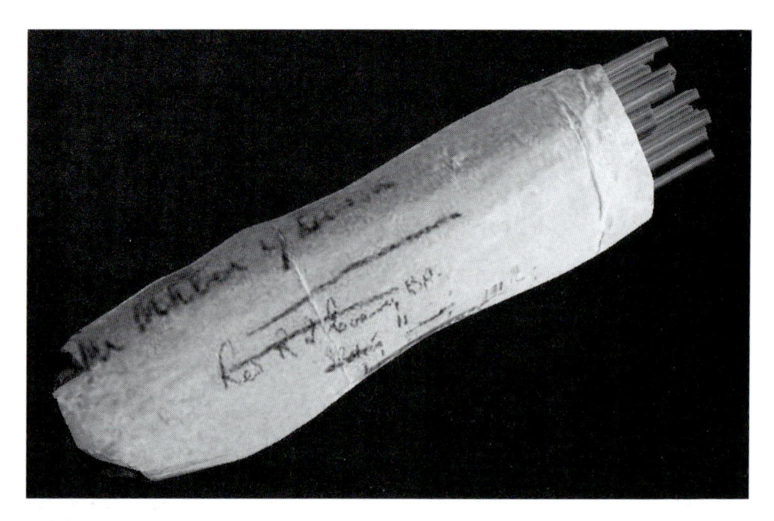

Y sbils cynnau tân oedd i'w defnyddio gan yr ymgyrchwyr ar y noson

tanwydd i'r chwistrell ac yn ei chwistrellu dros y cytiau fesul un. Mae'n debyg i hyn gymryd ychydig o dan hanner awr rhwng un o'r gloch a phum munud ar hugain wedi un y bore. Yna rhoddwyd ugain munud i'r pedwar cynorthwyydd hel eu traed am eu car. Y bwriad wedyn oedd defnyddio 'sbils' tanio a charpiau i gychwyn y tân.

Tybiodd Valentine iddo glywed rhywun yn agosáu at y safle:

> Yn y cyfamser wrth i ni ymhél â'r gwaith chwistrellu fe dybiais i 'mod i'n clywed rhywun yn dynesu at y gwersyll gyda chi yn cyfarth ac yntau'n ceisio atal y ci – ac fe euthum i at Saunders Lewis a dweud 'mod i'n credu fod rhywun yn dynesu at y gwersyll a bod gwell i ni ar unwaith ddechrau tanio, ac yntau'n cytuno ac yn peri i mi hysbysu D J o hynny.

Nid hawdd fu tanio'r deunyddiau – er gwaethaf y petrol a chwistrellwyd – oherwydd bod y gwynt yn chwythu mor gryf nes diffodd y matshys. Llwyddodd Valentine a Saunders i danio'r adeiladau ond methodd D J am nad oedd ganddo gyflenwad o fatshys, felly bu'n rhaid iddo rannu rhai Valentine. Yna, meddai Valentine, 'wedi gweld fod y tân wedi cydio, fe aethom ni yn ôl at y car yr oeddem wedi'i chuddio hi rhwng Rhydyclafdy a'r gwersyll ac aros yno i roi cyfle i'r tân gydio'n well'. Cerddodd y tri yn ôl heb frys at y car, gan adael y deunyddiau i gyd ar y safle. Ar ôl cyrraedd y car ysmygodd Valentine a Saunders un sigarét olaf, a sgwrsio gyda D J am stori fer yr oedd ar ganol ei llunio am Williams Pantycelyn, sef 'Dros y Bryniau Tywyll Niwlog'. Yna, ar ôl gweld y wawr goch yn yr awyr, a bod y gwaith wedi llwyddo fe aethant i gyfeiriad Pwllheli ac i orsaf yr heddlu yno.

Adroddodd Saunders Lewis am yr achlysur fel hyn:

> We reached the car. We smoked a final cigarette, and then under a reddening sky, we drove to report the fire to the Pwllheli Police Station and to surrender ourselves in accordance with our programme, to English law.

Gollyngwyd J E Jones ac O M Roberts yn y Groeslon, a cherddodd y ddau yn ôl ar hyd y rheilffordd (llwybr beicio Lôn Eifion erbyn heddiw) i gartref O M yng Nglanrhyd Isaf, Llanwnda. Aeth Robin Richards a Victor Hampson Jones yn eu blaenau i gyfeiriad y de, gan gyrraedd Bannau Brycheiniog am chwech y bore. Yno i'w cyfarfod, yn unol â'r trefniant, yr oedd Gwladwen Huws (a ddaeth yn fwy adnabyddus yn ddiweddarach fel Gwladwen Gwent ar ôl iddi briodi Gwent Jones yn 1938). Oddi yno aeth Gwladwen â Victor Hampson Jones adref i Gaerdydd yn ei

Safle'r Ysgol Fomio y bore ar ôl y tân

char, a dychwelodd Robin Richards i'w dyddyn ym Mro Morgannwg.

Nôl ym Mhwllheli, codwyd yr Uwch-Arolygydd Moses Hughes o'i wely, gŵr yr oedd Valentine yn ei adnabod yn dda ers blynyddoedd lawer, ac ar y cychwyn fe gyfarchwyd y tri yn siriol ganddo. Cyflwynwyd y llythyr iddo oedd yn manylu ar y weithred, ac agorodd yr amlen yn hamddenol a darllen y cynnwys. Wedi gwneud hyn edrychodd yn syn ar y tri a holi:

"Mae hyn yn ddifrifol. Ydi o'n wir?"

"Mae'n wir ein bod ni yno, ac mae'n wir ein bod yn ei ystyried yn ddifrifol," atebodd Valentine.

"Wel, sut ydwyf i wybod ei fod yn wir?" holodd y plismon.

Atebwyd ef trwy ddweud y dylai sefyll ar garreg y drws ac edrych i'r awyr, ac fe welai wawr goch y tanio. Ar ôl i'r plismyn weld beth oedd wedi digwydd, cofiai Valentine sut y bu i'r orsaf ddeffro drwyddi: 'Dyma gyffro mawr a ffonio a galw'r plismyn o bob rhyw gwr i fyny a hwythau'n dyfod yn gynhyrfus iawn ac ar fotobeics a beiciau a cheffylau haearn ac ar draed ac ar redeg a chyffro mawr.' Penderfynwyd galw'r frigâd dân, gan adael y tri yng ngofal heddwas ifanc. Yn ôl y sôn treuliodd y tri yr amser wedyn yn swyddfa'r heddlu yn y dref yn cyd-drafod barddoniaeth R Williams Parry â'i gilydd, gyda Valentine yn dweud mai 'Y Llwynog' oedd ei hoff soned. Câi drafferth cofio rhai o linellau'r gerdd ond fe'i cynorthwywyd i wneud hynny gan y plismon ifanc, ac felly fe'i gwahoddwyd yntau i'r seiat lenyddol.

Yn ôl atgof Valentine, ymhen tipyn, dychwelodd y plismyn o'r safle 'gyda rhai yn edrych yn gymeradwyol arnom ni ac yn sibrwd bod yna "gythraul o dân".'

Dychwelodd yr Uwch-Arolygydd a thywys y drindod i'r celloedd, a'u gorchymyn i ddiosg eu bresys yn unol â'r rheolau, a cheisiwyd achub ar ychydig o gwsg, er mae'n debyg i'r tri gael eu rhoi mewn celloedd heb i unrhyw gyhuddiad ffurfiol gael ei ddwyn yn eu herbyn. Y bore wedyn, deffrodd y carcharorion i frecwast o gig moch ac wy. Brecwast a oedd, haerodd Valentine, yn well na'r hyn a gynigid fel rheol i droseddwyr Pen Llŷn, ac yn arwydd o'r parch a deimlai amryw o'r heddweision lleol tuag at eu carcharorion nodedig. Rhoddwyd cyfle iddynt hefyd ymolchi a siafio cyn gorfod wynebu'r llys ynadon yn y prynhawn.

Erbyn hyn roedd y stori – yn addas iawn – wedi mynd ar led fel tân gwyllt fod yr Ysgol Fomio wedi'i llosgi, ac roedd rhai o drigolion Pwllheli wedi'u cythruddo'n arw. Trefnwyd meichiau ar ran y tri gydag R O F Wynne yn sefyll ar ran

Y tri a chriw o gefnogwyr cyn ymddangos yn Llys Ynadon Pwllheli
(O'r chwith i'r dde: H Francis Jones, J E Daniel, D J Williams, Lewis Valentine, Saunders Lewis, E V Stanley Jones, Ben Owen, R O F Wynne)

Saunders Lewis, W St John Williams ar ran Valentine a'r Parch. J P Davies ar ran D J. Dywedodd Valentine ei fod yn teimlo bod 'tref Pwllheli yn un gŵr yn ein herbyn ni', a bu'n rhaid i'r tri adael y llys drwy'r drws cefn a threfnwyd *escort* arbennig i'w hebrwng o'r dref.

Ni fu'r Parch. J P Davies mor ffodus, oherwydd wrth iddo adael y llys tybiodd rhai o'r dorf mai D J Williams oedd ef, a dechreuwyd rhedeg ar ei ôl a cheisio ymosod arno. Yn y sgarmes a ddilynodd torrwyd ei sbectol, ac wrth iddo geisio lloches mewn siop gerllaw caewyd y drws yn glep yn ei wyneb. Llwyddodd yn y diwedd i gael noddfa mewn tŷ cyfagos, ond yn amlwg nid oedd casineb rhai o ddinasyddion Pwllheli tuag at y cenedlaetholwyr wedi lleihau dim.

Er gwaethaf y 'cythral o dân' achoswyd difrod gwerth llai na £3,000 i'r safle. Nid dyna oedd y pwynt, serch hynny, oherwydd fel y nodwyd eisoes nid gweithred o *sabotage* economaidd na chychwyn ymgyrch barhaus o dor cyfraith oedd yr amcan, ond cymell y Llywodraeth i ddwyn achos yn erbyn cenedlaetholwyr Cymraeg oedd wedi gweithredu yn enw Cymru.

Dewiswyd cwmni cyfreithwyr W H Thompson o Lundain, a oedd yn brofiadol mewn achosion gwleidyddol, i ddarparu cyngor cyfreithiol. Penderfynwyd y byddai Saunders Lewis a Valentine yn eu hamddiffyn eu hunain yn y llys ond sicrhawyd gwasanaeth y bargyfreithiwr Edmund Davies i gynrychioli D J Williams. Ymddangosodd y tri gerbron Ynadon Pwllheli ar 16 Medi lle y trosglwyddwyd yr achos i Lys y Goron, Caernarfon, i'w gynnal ar ddydd Mawrth 13 Hydref. Roedd y cyhuddiad yn eu herbyn, o dan Adran 5 ac Adran 51 Deddf Difrod Maleisus 1861, yn haeru iddynt 'at Penrhos in the County of Carnarvon, maliciously set fire to certain buildings, belonging to His Majesty the King'. Mae'n debyg y gellid bod wedi dadlau ar dir cyfreithiol cadarn nad eiddo'r Goron oedd y cytiau a ddifrodwyd ar y safle, ond mewn cyfarfod rhwng y tri a'u cyfreithwyr penderfynwyd peidio â dilyn y trywydd yma. Penderfyniad gwleidyddol nid cyfreithiol oedd hyn, oherwydd fel y dywedodd Valentine wedyn '… y peth mawr gan Saunders a finnau oedd bod hwn wedi tyfu yn achos rhwng cenedl a gwladwriaeth'.

Rai misoedd wedyn fe grisialodd D J beth yn union oedd nod y weithred i'r tri: 'Ceisiasom achub anrhydedd cenedl y credai'r mwyafrif mawr yng Nghymru a bron pawb y tu allan i Gymru nad oedd ganddi'r fath beth ag anrhydedd i'w golli.'

5

'The law of England'

CEFNOGOL IAWN YN NATURIOL oedd cyfeillion ac aelodau'r Blaid Genedlaethol.

Yn syth ar ôl clywed y newyddion ysgrifennodd R Williams Parry gerdyn post at O M Roberts yn cyfleu ei falchder ewfforig: 'Hetiau i ffwrdd i'r hogiau! Gwych ryfeddol, a thrist ryfeddol. Gresyn na buasai eu gwlad yn eu haeddu.'

Ysgrifennodd Kate Roberts at Valentine ar 10 Medi yn datgan yn llawen: 'Dyma ddechrau iawn ar bethau, fe wnaethoch gwaith gwych iawn ...' Ychwanegodd hefyd fod ei gŵr, Morus, yn addo gwaith fel trafaeliwr i Valentine pe bai eglwys y Tabernacl yn penderfynu ei ddiswyddo ar ôl achos Llys y Goron. Eisoes roedd pryder ymysg y cefnogwyr y byddai'n rhaid i'r tri aberthu mwy na'u rhyddid am gyflawni'r weithred. Nid Valentine fyddai'r un i orfod poeni am ei gyflogaeth, serch hynny.

Yn gyffredinol cafwyd cefnogaeth i'r tri ar draws ffiniau pleidiol yn y Gymru Gymraeg hefyd. Gan fod golygyddion *Y Faner* (Prosser Rhys), *Y Brython* (Gwilym R Jones) a'r *Herald Cymraeg* (Meuryn) yn gefnogwyr i'r Blaid Genedlaethol roedd y wasg Gymraeg at ei gilydd yn frwd eu cefnogaeth i'r gweithredwyr. Mynegodd Gwilym R hefyd ei deimladau at yr hyn a welai fel agwedd ormesol y Llywodraeth, mewn cylch o englynion a anfonodd i gystadleuaeth yn Eisteddfod Genedlaethol Machynlleth (ac a gyhoeddwyd maes o law yng nghylchgrawn *Y Llenor* yn 1937) o dan y teitl 'Galarnad Gŵr o Lŷn':

> Ynys Gobaith ein hiaith oedd hi, – tir cerdd,
> Trig hoff Fabinogi;
> Tarian grym estron a'i gri,
> A'i ddwrn haearn sydd arni....
>
> Mae gardd a oedd yma gynt? – Ei rhuddos
> A bereiddiai'r hwyrwynt;
> Erwau trist! Fe red drostynt
> Aroglau gwaed ar dreigl gwynt.

Nid syndod felly i arweinwyr y Blaid gredu bod cyfnod newydd yn gawrio yn hanes yr achos cenedlaethol yng

Y dorf y tu allan i Lys Ynadon Pwllheli

Nghymru. Fel hyn y cyfarchodd D J ei gyd-ddiffynnydd yn niwedd Medi wrth edrych ymlaen at yr achos ddechrau Hydref: 'Wel, yr hen gyfaill annwyl hoffus, a'm cyd-garcharor yn yr Achos Mawr, sut yr wyt ti? ... Yr wyf i yn dal yn gadarn yn y ffydd ac weithiau bron yn gadarn yn yr ysbryd. Gwnaent a fynnant â ni rwy'n teimlo ein bod wedi ennill buddugoliaeth.'

Adwaith ffyrnig yn eu herbyn a gafwyd yn y wasg Saesneg, fodd bynnag. Roedd y *North Wales Chronicle* o'r farn na allai Cymru lle'r oedd troseddwyr yn crwydro'r nos gyda matshys a phetrol fod yn rhydd, dedwydd na Christnogol. Yn ôl y *Daily Post*, 'poisonous and perverted nationalism' oedd wrth wraidd holl wrthdystiadau'r Blaid Genedlaethol.

Paratôdd Saunders a Valentine eu hareithiau ymhell cyn yr achos, er mwyn galluogi'r Blaid i gyhoeddi pamffled oedd yn cynnwys yr areithiau. Argraffwyd wyth mil o gopïau Cymraeg a phedair mil o'r fersiwn Saesneg, gyda'r bwriad o'u gwerthu ar y Maes yng Nghaernarfon ar ddiwrnod yr achos am bris o dair ceiniog y copi.

Oddeutu un ar ddeg y bore ar 13 Hydref, ymgasglodd cannoedd o gefnogwyr y tri, ac ambell un oedd yno o ran chwilfrydedd yn unig mae'n siŵr, y tu allan i'r llys. Cymaint oedd maint y dorf nes gorfodi'r awdurdodau i osod rhwystrau ar draws y ffordd rhwng tafarn yr Anglesey Arms a'r fynedfa i'r castell er mwyn cadw cadw grisiau'r llys yn glir.

Cymro o dras oedd y barnwr yn yr achos, sef Syr Wilfrid Hubert Poyer Lewis, ond roedd ei *gurriculum vitae*

Ar eu ffordd i Lys y Goron, Caernarfon

yn un nodweddiadol o'r sefydliad Prydeinig. Derbyniodd ei addysg yn Eton a Rhydychen cyn ei alw i'r bar yn yr Inner Temple, a bu'n gwasanaethu fel capten gyda'r Glamorganshire Yeomanry yn y Rhyfel Mawr. Yn y llys, uwchben cadair fawr y barnwr, yr oedd darlun o gyflwyno'r Tywysog Edward yn Dywysog Seisnig cyntaf Cymru, yn arwydd symbolaidd o gefndir hanesyddol y drefn gyfreithiol yng Nghymru.

Galwyd y rheithwyr i ymgynnull a gofynnodd clerc y llys i'r tri bledio.

Roedd y tri yn wynebu dau gyhuddiad. Y cyhuddiad cyntaf oedd cynnau tân yn fwriadol a'r ail oedd difrod maleisus i eiddo. Mynnodd y barnwr y dylai Saunders

Lewis a'r ddau arall bledio i'r cyhuddiadau yn Saesneg, ac yn y diwedd ac o dan brotest dyna a fu, ond nid heb wrthdaro:

> *Barnwr: Is John Saunders Lewis the person who is described in the indictment as a lecturer?*
>
> *SL: Ie, darlithydd wyf i, yn Llenyddiaeth Cymru, yng Ngholeg y Brifysgol, Abertawe.*
>
> *Barnwr: Listen to me. Do you tell me that you cannot speak or understand English?*
>
> *SL: Mi fedraf Saesneg ond Cymraeg yw fy mamiaith.*
>
> *Barnwr: Do you tell me that you cannot understand or speak English?*
>
> *SL: Yr wyf yn gofyn yn ostyngedig i'm Harglwydd ganiatáu i mi ateb yn Gymraeg, am mai hi yw fy mamiaith. Gofynnaf i'r cyfieithydd gyfieithu hyn.*
>
> *(Ni chyfieithwyd geiriau Saunders Lewis)*
>
> *Barnwr: Do you understand and speak English?*
>
> *SL: I can understand and speak English, but Welsh is my mother tongue.*
>
> *Barnwr: Do you understand and speak English?*
>
> *SL: Yes, my Lord.*
>
> *Barnwr: Well then, you will plead to the indictment in English.*
>
> *(Darllenwyd y cyhuddiad eto yn Saesneg)*
>
> *Clerc y Llys: How say you, John Saunders Lewis, are you guilty or not guilty?*

SL: Yr wyf i yn ddieuog.

Barnwr: I will give you one more chance. Do you speak and understand English?

SL: Under protest then, my Lord, I say that I plead not guilty.

(Wedyn galwyd ar Lewis Valentine i bledio i'r cyhuddiad)

Barnwr: Are you the person described as a clergyman?

LV: Mae hynny'n gywir.

Barnwr: Do you understand and speak English?

LV: Yr wyf yn deall Saesneg ac yn ei siarad weithiau ond Cymraeg yw'r unig iaith y gallaf fy mynegi fy hun yn iawn ynddi.

Barnwr: Do you understand English?

LV: Under protest, I admit that I understand English and do occasionally speak it.

Barnwr: You understand the charges made against you in English. Do you plead guilty or not guilty?

LV: Under protest, like my friend, I plead not guilty.

(Galwyd wedyn ar D J Williams i ateb y cyhuddiad)

Clerc y Llys: David John Williams, how say you, are you guilty or not guilty?

DJW: Under protest, I can understand and speak English, and I plead not guilty.

Saunders Lewis yn paratoi ei araith cyn y llys

Ar ôl i'r tri bledio'n ddieuog i'r ail gyhuddiad o wneud difrod maleisus i eiddo ar safle Penrhos, daeth mater o ethol rheithgor. Dewisodd y tri arfer eu hawl fel diffynyddion i wrthwynebu rheithwyr, ac o ganlyniad fe gafodd pum aelod o'r rheithgor eu gwrthod am na fedrent siarad Cymraeg. Er i'r barnwr ddisgrifio'r peth fel ffars, fe lwyddwyd i sicrhau rheithgor o siaradwyr Cymraeg, ac nid oes amheuaeth na fu hynny'n allweddol i ganlyniad yr achos.

Esboniodd W N Stable, ar ran yr erlyniad, fod y tri wedi eu cyhuddo o gynnau tân yn anghyfreithlon a llosgi eiddo'r Llywodraeth yn anghyfreithlon mewn maes awyr ym Mhenrhos ger Pwllheli. Fe'u cyhuddwyd hefyd o wneud difrod bwriadol i'r eiddo. Dywedwyd hefyd ar y noson dan sylw fod dau ddyn wedi ymosod ar y gwyliwr nos, David William Davies o Nefyn, o'r tu ôl, a phan ryddhawyd ef gwelodd fod yno dri dyn a bod cytiau'r maes awyr ar dân. Wrth ymladd y fflamau cafodd y frigâd dân hyd i duniau a chwistrelli y tybid iddynt gael eu defnyddio i gynnau'r tân. Yna amlinellwyd y modd y bu i'r tri ildio eu hunain yng ngorsaf heddlu Pwllheli.

Ar un pwynt yn unig yr oedd Saunders Lewis am gynnig tystiolaeth, a hynny ar fater y gwyliwr nos. Dywedodd na fu i'r un ohonynt weld y gwyliwr ar y noson, ac yn sicr na wnaeth yr un ohonynt ymosod arno fel yr haerai. Ategodd Valentine yr hyn a ddywedodd Saunders, sef na welwyd neb ar gyfyl y safle ar y noson ac nad oedd unrhyw un wedi ymosod ar y David William Davies.

Yn wir, cymaint fu'r anghysonderau yn stori'r gwyliwr nos, nes i'r barnwr, wrth grynhoi'r achos ar y diwedd, hysbysu'r rheithgor y caent, pe dymunent, ddiystyru'r dystiolaeth a roddwyd ganddo.

Galwyd amryw o dystion eraill, yn eu plith yr Uwch-Arolygydd Moses Hughes, swyddogion y frigâd dân ac amryw o weithwyr y safle, Albanwyr gan mwyaf, a nododd iddynt ddod o hyd i duniau petrol gwag ar y safle wedi'r tân. Clywyd hefyd gan gynrychiolydd y Weinyddiaeth Awyr a dystiodd fod gwerth tua £2,671 o eiddo wedi'i ddinistrio gan y fflamau.

Valentine oedd y cyntaf o'r tri i sefyll yn y doc i gyflwyno ei araith, ond ni chafodd yr effaith a fwriadwyd yn y llys.

Gweinidog yr Efengyl ydwyf fi(~~a sylweddolaf bod arnaf gyfrifoldeb arbennig am y rhan a gymerais yn y llosgi a fu ar yr Ysgol Fomio ym Mhorth Neigwl yn nechreu mis Medi~~)Nid yn ysgafn nac yn fyrbwyll nac yn ddifeddwl chwaith y penderfynais bod rhaid anorfod arnaf i wneuthur a wnaethpwyd,ond ar ôl ystyriaeth ddwys a difrifol,ac yn ofn Duw yr euthum allan y noson honno.

Fy nhasc olaf cyn gadael cartref y diwrnod hwnnw oedd hebrwng fy ngeneth fach bedair mlwydd oed i'r ysgol bob dydd am y tro cyntaf erioed, a rhyw ddyfalu yr oeddwn beth fyddai ei hynt a'i helynt hi yn ystod ei hoes,a gweddio na fyddai raid iddi gario beichiau rhy drymion na cherdded llwybrau rhy eirwon,ac yn arbennig na fyddai ei rhan hi mor ofidus a chwerw a rhan mamau fy oes i.Gobeithiwn na chai hi byth ofid fy mam fy hun,sef gweld ei phlant,—dri ohonom,—yn gadael holl fwynder a llawenydd ein bywyd yng Nghymru a'n dwyn i ryfeloedd y cenhedloedd dreng. Gwnawn unrhyw beth i gadw rhagddi hi y gofid a'r galar a gafodd mamau Cymru yn ystod blynyddoedd y rhyfel diwethaf.

Yr wyf yn falch fy mod yn perthyn i genedl sydd a'i bryd ar heddwch, a chenedl na ddarfu iddi ymladd erioed ond i amddiffyn ei ffiniau.Cenedl yw hi sydd ganddi ewyllys,ond ysywaeth,nid oes ganddi mo'r gallu,i fyw mewn heddwch â'i chymdogion yn Ewrop,canys nid ein rhyfeloedd ni yng Nghymru oedd y rhyfeloedd a fu,a chethin a fu tynged Cymru ar ôl pob un ohonynt.

Yr wyf yn ei hystyried yn rhan tra phwysig o'm huchel swydd fel Gweinidog yr Efengyl yng Nghymru i fynnu gallu i ewyllys fy mhobl,a gwneuthur bopeth a fedraf i atal rhyfig rhyfel.Nid oes unrhyw aberth yn rhy ddrud i atal hynny,canys nid oes dim gelyn peryclach i wareiddiad Cymru,a'r gwareiddiad hwnnw yn wareiddiad cynnes Cristnogol.

A. Hyn yw fy argyhoeddiad personol i.Fe euthum yn wirfoddol i'r rhyfel diwethaf,ac yn fy niniweidrwydd credais y bregliach mai rhyfel ydoedd i derfynu rhyfel.Credais fod gwleidyddwyr Lloegr o ddifrif yn eu haddewidion, ac na chawsai ysbryd durol militariaeth le mwyach ym mywyd a pholisi'r wlad.

Tudalen o araith Lewis Valentine yn Llys y Goron, Caernarfon

Tarfwyd ar ei neges oherwydd ei fod yn ei thraddodi yn Gymraeg; rhaid oedd cyfieithu'r cwbl gymal wrth gymal gan gyfieithydd y llys, Gwilym T Jones, Pwllheli. Roedd eu cyfreithwyr wedi rhybuddio'r diffynyddion ymlaen llaw y byddai'r barnwr yn ymyrryd yn eu hareithiau ac yn eu cyhuddo o draethu ar bethau nad oeddent yn berthnasol i'r achos, a dyna a ddigwyddodd.

Rhwng ymyrraeth y barnwr a'r cyfieithu poenus o herciog mae'n debyg i'r profiad o wrando ar yr araith fynd yn dreth ar amynedd hyd yn oed y mwyaf pybyr o gefnogwyr y tri. Er hynny, dywedodd Valentine iddo deimlo'n hollol hyderus wrth gamu i'r doc i annerch y llys. 'Fûm i erioed mor hunanfeddiannol,' dywedodd wedyn.

Ar ddechrau ei araith, dywedodd Valentine nad peth ysgafn, byrbwyll neu ddifeddwl oedd ei benderfyniad i weithredu fel y gwnaeth, ond, meddai, "ar ôl ystyriaeth ddwys a difrifol, ac yn ofn Duw, yr euthum allan y noson honno." Dywedodd mai ei dasg olaf cyn gadael cartref y diwrnod hwnnw, oedd hebrwng ei ferch, Gweirrul, i'r ysgol am y tro cyntaf. Ei gyfrifoldeb, meddai, oedd sicrhau na fyddai hi'n gorfod dioddef yr hyn a ddioddefodd ei fam, sef gweld ei meibion yn gorfod ymladd yn rhyfeloedd y "cenhedloedd dreng". Cenedl heddychlon oedd Cymru, meddai, a'i bryd ar heddwch "na ddarfu iddi ymladd erioed ond i amddiffyn ei ffiniau". Tanlinellwyd pwysigrwydd gweithredu i Valentine pan bwysleisiodd wrthwynebiad ei enwad i ryfel, gan ymfalchïo mai "traddodiad o weithredu'n ddewr ydyw traddodiad y Bedyddwyr, ac nid pasio penderfyniadau dof".

Nid oedd ychwaith yn difaru dim o'r hyn a wnaeth. Yn wir "braint" oedd "cynorthwyo'n llawen" yn y weithred o losgi'r Ysgol Fomio ym Mhenyberth.

Gwrthodwyd yr hawl i Valentine ddyfynnu geiriau'r Archdderwydd yng nghyfarfod Undeb yr Annibynwyr. Y tro hwn gofynnodd Valentine am ychydig o ras gan y barnwr, ond yn ofer, ac ar ôl gwrthdaro geiriol pellach gyda'r Ustus Lewis aeth Valentine ymlaen i amlinellu hynt yr ymgyrch gyfansoddiadol yn erbyn y maes awyr. Tynnodd sylw arbennig at yr unfrydedd barn a gafwyd ar y mater, ond er gwaethaf y gwrthwynebiad taer, dywedodd, fe fynnodd llywodraeth Lloegr fwrw ymlaen â'r cynllun. Yn wyneb hyn nid oedd ond dau ddewis ganddo ef a'i gyd-ddiffynyddion:

> Un dewis oedd TEWI, a dywedyd, 'Dyna ni wedi gwneuthur ein gorau glas – rhaid i'r drwg bellach ffynnu – nid oes gennym ond edrych yn drist a diymadferth ar y llywodraeth yn codi'r Ysgol Fomio yn groes i ewyllys crefyddwyr y wlad – yn groes i ewyllys y genedl.'

Ni allai, fodd bynnag, fod yn fud a distaw, oherwydd bradychu holl dreftadaeth Cymru fyddai hynny, ac ni fyddai bywyd yn werth ei fyw. Rheidrwydd anorfod felly oedd parhau i wrthdystio:

> ... a chan bod protestio mewn dull bonheddig a chyfreithlon wedi methu, rhaid oedd protestio mewn ffyrdd eraill a ystyrid yn anghyfreithlon. A'r RHAID hwnnw ydoedd y mwyaf o bob RHAID – RHAID CYDWYBOD. Yn enw Cristnogaeth ac yn enw ein cenedl galwai cydwybod arnom yn chwyrn i wneuthur yr hyn a honnir sy'n dorri cyfraith gwlad; ac yn enw ein Cristnogaeth ac yn enw ein cenedl, a'n cydwybod yn ein taer wasgu, gwnaethom hynny er mwyn ufuddhau i gyfraith uwch na chyfraith Lloegr.

"That is the law which prevails in this case and in any other court in this country," ebe'r barnwr ar ei draws eto. "I have warned you twice, I want to warn you once more, for your own sake, that what you are telling the jury is not the law which prevails in this court or a court in any civilized country."

Roedd hyn yn un ymyrraeth yn ormod i Valentine ac meddai'n rhwystredig: "It is impossible for me to go on and be called to order by your Lordship." Ond roedd yn cyrraedd at derfyn ei araith, a dewisodd barhau:

> Teyrngarwch uchaf dyn yw ei deyrngarwch i Dduw – o flaen hyn nid oes dim, a phan fo gwladwriaeth yn disodli Duw ac yn treisio drwy hynny farn a chydwybod dynion – pan fo'r wladwriaeth yn treisio deddfau Duw, ac yn sarnu hawliau cenedl a orchfygodd, yna nid oes gan ddyn sydd ganddo fymryn o hunan-barch, costied a gostio, ond herio'r wladwriaeth honno.

Ychwanegodd iddo gael derbyniad arbennig wrth bregethu ar hyd a lled Cymru yn dilyn y Tân yn Llŷn. Nid oedd neb wedi gofyn iddo ganslo cyhoeddiad; yn wir, roedd rhai eglwysi wedi arddel y weithred a'i fendithio.

Torrodd y barnwr ar ei draws am y tro olaf:

> Other people may have said you are a hero, but in this court the law has to be administered. The fact that you burnt down the aerodrome because you were an enthusiast for peace is no defence whatever, and it will be my duty, however unpleasant, to tell the jury so.

Cyn i Valentine gael cyfle i ymateb ychwanegodd y barnwr: "I shall ask you to sit down if you don't address the jury on matters which are relevant." Atebodd Valentine ei fod yn ildio i orchymyn y barnwr: "I bow to your Lordship's ruling," meddai cyn eistedd, gan adael hanner brawddeg olaf ei araith heb ei thraddodi.

Dylid pwysleisio yma eto, er gwaethaf yr elfennau diamheuol o heddychiaeth a chasineb at bob agwedd o filitariaeth yng nghymhellion dau o'r tri yn y doc, nad gweithred ar ran heddychiaeth Gymreig fel y cyfryw oedd y llosgi – hyd yn oed i D J a Valentine. Gweithred ydoedd gan genedlaetholwyr Cymraeg Cristnogol, a chenedlaetholdeb oedd ysgogiad pennaf pawb fu'n gysylltiedig â hi. Fel y nododd A O H Jarman:

> Gweithred genedlaethol oedd honno [y llosgi], nid gweithred basiffistaidd ... ei hamcan oedd amddiffyn y gymdeithas Gymraeg ei hiaith yn Llŷn ac Eifionydd, a thrwy hynny'r gymdeithas Gymraeg oll, rhag ei difrodi yn sgil darpariaethau milwrol y wladwriaeth fawr yr oedd Cymru wedi'i chorffori ynddi.

Felly 'Lloegr a'i llu yn llygru Llŷn' oedd y slogan a ddenodd y gefnogaeth ledled Cymru, a difwyno Cymreictod Llŷn oedd yr ysgogiad gwaelodol i amryw o'r rhai a gymerodd ran yn y tanio. Fel y dywedodd O M Roberts rai blynyddoedd wedyn, 'llygru Llŷn oedd y camwedd yng ngolwg y mwyafrif'.

Adlewyrchir hynny yn araith Saunders Lewis, wrth iddo yntau amlinellu ei gymhellion dros weithredu fel y gwnaeth. Ar ôl gweld profiadau seithug Valentine gyda chyfieithydd y llys penderfynodd draddodi ei araith yn Saesneg:

> A'r argyhoeddiad erchyll y byddai gwersyll bomio'r llywodraeth Seisnig yn Llŷn yn anelu'n farwol at un o aelwydydd hanfodol y diwylliant Cymraeg, y peth mwyaf pendefigaidd a fedd cenedl y

The fact that we set fire to the buildings and building materials at the Penrhos aerodrome is not in dispute. We ourselves were the first to give the authorities warning of the fire and we proclaimed to them our responsibility. We do not therefore challenge the correctness of the words "did set fire to certain buildings" in the charge made against us, but we do repudiate other words in the charge, and especially we deny that our action was felonious or malicious. We hold the conviction that our action was in no wise criminal, but that it was an act forced on us, that it was done in obedience to conscience and to the moral law, and that the responsibility for any loss due to our act is the responsibility of the English government.

~~We are men who who have been for over ten years prominent in the public~~

We are professional men who hold positions of trust, of honour, and of security. I must speak now with reluctance for myself. I profess the literature of Wales in the

Dwy dudalen o araith Saunders Lewis yn Llys y Goron Caernarfon

University College of Wales at Swansea. That is my professional duty. It is also my pride and my delight. Welsh Literature is one of the great literatures of Europe. It is the direct heir in the British Isles of the literary discipline of classical Greece and Rome. ~~It was my sense of the one~~ And it is a living growing literature, and draws its sustenance from a living language and a traditional social life. It was my sense of the inestimable value of this tremendous heirloom of the Welsh nation that first led me from purely literary work to public affairs and to the establishment of the Welsh Nationalist Party. It was the terrible knowledge that the English Government's Bombing Range, once it were established in Llŷn, would endanger and in all likelihood destroy an essential focus of this Welsh culture, the most aristocratic spiritual heritage of Wales, that made me think my own career, the security even of my family, things that must be sacrificed in order to prevent so appalling a calamity. For in the university lecture rooms I have not ~~taught~~ professed a dead literature of antiquarian interest. I have professed the living literature of this nation. So that this literature has claims on me as a man as well as a teacher. I hold that my action at Penrhos aerodrome on September 8th saves the honour of the University of Wales, for ~~those~~ the language and literature of Wales are the very _raison d'être_ of this University.

> Cymry, hynny a barodd i mi farnu bod fy ngyrfa i, a hyd yn oed ddiogelwch fy nheulu, yn bethau y dylwn eu haberthu er mwyn arbed cyflafan mor enbyd.*

Yn nes ymlaen yn ei araith tanlinella arwyddocâd symbolaidd ffermdy Penyberth a'r ardal i'r Gymru Gymraeg:

> Fel y tyf y Gwersyll Bomio yn Llŷn yn ganolfan milwrol mwy a mwy, ac y mae'n ddiogel mai felly y bydd os gedir iddo, felly fe ddinistria bob aelwyd Gymraeg yn Llŷn, holl burdeb tafodiaith y wlad, a'i thraddodiadau oll a'i llenyddiaeth. Fe ddinistria sylfaen ysbrydol y genedl Gymreig, a'i gadael hithau megis y mae ffermdy Penyberth heddiw.

Felly, yn ogystal ag oherwydd yr effaith uniongyrchol a gâi ar ddiwylliant a ffordd o fyw cymuned Gymraeg ei hiaith, roedd wedi gwrthwynebu'r datblygiad oherwydd ei bwysigrwydd ehangach. Fel y dywed Robin Chapman, 'Rhoddodd yr ysgol ar dân oherwydd yr hyn yr oedd hi a Phenyberth yn ei *gynrychioli.*'

A chyda hynny mewn golwg, terfynodd Saunders Lewis ei araith gydag apêl i'r rheithgor dros werthoedd uwch na chyfraith Lloegr:

> Gofynnwn i chwi fod yn gwbl ddi-ofn. Gofynnwn i chwi roddi dedfryd a fydd yn adfer egwyddorion Cristnogaeth ym myd cyfraith a deddf, dedfryd a fydd yn agor cyfnod newydd a gwell yn hanes Ewrop. Gofynnwn i chi gyhoeddi ein bod yn ddieuog.

Yn ei araith yntau ar ddiwedd yr achos, gwnaeth y Barnwr Lewis ffafr fawr ag achos gwleidyddol y diffynyddion trwy

---

* Daw'r dyfyniadau o araith Saunders Lewis o'r cyhoeddiad Cymraeg o areithiau Saunders a Valentine, *Paham y Llosgasom yr Ysgol Fomio*.

bwysleisio drwyddi draw mai gweinyddu cyfraith Lloegr yr oedd. Yn wir, gweinyddu cyfraith Lloegr yr oedd y rheithwyr hefyd wedi tyngu i'w wneud wrth gymryd y llw ar ddechrau'r achos.

Anfonwyd y rheithwyr allan, ac ar ôl llai na thri chwarter awr dychwelodd y deuddeg aelod. Aeth y clerc atynt a gofyn i Harlech Jones o Gricieth, blaenor y rheithgor:

"Members of the jury, are you agreed upon your verdict?"

"We are. We have failed to agree."

Holodd y barnwr wedyn a oedd unrhyw obaith y gallent ddod i gytundeb.

"I am afraid, my Lord, there is no chance," atebodd y Bonwr Jones.

"Very well," ebe'r barnwr, "the case will go over to next assizes."

Am eiliad bu'r llys yn gwbl ddistaw, ond cyn i Edmund Davies gael cyfle i ofyn am ryddhau'r tri ar fechnïaeth, daeth bonllefau'r dorf a bloeddio canu 'Hen Wlad fy Nhadau' o'r stryd y tu allan.

Ar ôl y dyfarniad cafwyd gorymdaith fuddugoliaethus drwy'r dref i swyddfa'r Blaid ym Mhendref; y bwriad oedd cario'r tri ar ysgwyddau'r cefnogwyr, ond mae'n debyg fod Valentine yn rhy drwm i'w gario yr holl ffordd!

Rai blynyddoedd wedi'r achos llys adroddodd Valentine am y cysylltiad a fu rhyngddo a chadeirydd y rheithgor, Harlech Jones o Gricieth: 'Yr oedd Cadeirydd y rheithgor … yn wincian arnaf i, neu o leiaf yr oeddwn i'n meddwl ei fod o'n wincian arnaf.' Cafodd gyfle i gael esboniad helaethach yn nes ymlaen wrth gael te yng ngwesty'r Royal ar ddiwedd y prynhawn, pan ddaeth un o staff y gwesty ato yn dweud bod rhywun eisiau gair personol ag ef mewn ystafell breifat. Harlech Jones oedd y gŵr hwnnw. Oedd, meddai, yr oedd yn wincian arno yn y llys. Bwriad hynny oedd ceisio rhoi gwybod i Valentine fod yno un o leiaf o'r rheithgor yn cydymdeimlo â'r tri. Esboniodd Harlech Jones ymhellach fod ei wraig yn arfer byw drws nesaf i Samuel a Mary, rhieni Valentine, pan oeddent yn byw ym Mhenycae, Trefechan, ger Wrecsam. Yn ôl cadeirydd y rheithgor roedd ei wraig wedi'i siarsio cyn gadael y tŷ y bore hwnnw gan ddweud: "Cofia, Harlech. Os doi di adra a bachgen Mary yn y jêl, sbia i byth arnat ti."

Roedd Harlech Jones yn aelod amlwg gydag enwad yr Annibynwyr yn Eifionydd ac yn aelod o Gyngor Tref Cricieth. Yn Ebrill 1936 roedd wedi eilio cynnig gan y Parch. O M Lloyd, Rhoslan, yng Nghyfundeb Annibynwyr Llŷn ac Eifionydd yn gwrthwynebu codi'r Ysgol Fomio, er iddo rai dyddiau yn ddiweddarach ddadlau na ddylai Cyngor Tref Cricieth ddatgan gwrthwynebiad i fwriadau'r Llu Awyr, ar y sail mai lle eglwysi a chymdeithasau oedd gwneud hynny, a phriod waith cyngor tref oedd gweinyddu Deddfau Iechyd Cyhoeddus. Ar ôl i'r awdurdodau benderfynu symud yr ail achos i Lundain, fodd bynnag, ef a roddodd y cynnig gerbron yn Undeb yr Annibynwyr yn protestio yn erbyn trosglwyddo'r prawf o Gymru ac yn erbyn codi'r Ysgol Fomio.

Mae'n debyg fod cefnogaeth Harlech Jones a'i deulu i achos y Blaid Genedlaethol yn mynd yn ôl i'r dyddiau cynnar. Yn ôl W S Jones (Wil Sam) bu gan deulu Harlech Jones gyswllt â'r Blaid ers blynyddoedd. Bu Valentine yn annerch cyfarfod cyhoeddus yn Llanystumdwy yn ystod etholiad cyntaf y Blaid yn 1929, ac wrth i'r dorf wasgaru ar ddiwedd y cyfarfod clywyd rhai o drigolion y pentref, a fu'n gwylio'r digwyddiad ar y cyrion, yn datgan yn groch mai'r "petha Harlech Jones 'na oeddan nhw". Ymhen saith mlynedd byddai Harlech Jones yn chwarae rhan allweddol yn hanes ymgyrch yr Ysgol Fomio. Tro hynod o ffodus, felly, oedd cael cadeirydd i'r rheithgor a oedd wedi bod yn gefnogol i achos y Blaid Genedlaethol bron o'r cychwyn.

Yn y dyddiau a'r wythnosau wedi'r achos yng Nghaernarfon, fe wawriodd ar aelodau'r Blaid eu bod wedi cael llwyddiant gwleidyddol o'r diwedd, er nad oedd amgylchiadau a natur y llwyddiant hwnnw yn union fel y disgwylient ddegawd ynghynt. Adlewyrchir y teimlad o fuddugoliaeth wleidyddol mewn llythyr a ysgrifennodd D J at Valentine ar ôl achos Caernarfon ar 13 Hydref. 'Oni throdd pethau maes yn ardderchog!' meddai, gan ychwanegu nad oedd 'fawr bwys beth a wna'r barnwyr nesaf ohonom. Credaf yn sicr y down trwyddi'n fwy na choncwerwyr, gan fod gwŷr Arfon unwaith eto wedi dangos bod hen arwri iaith eu tadau yn parhau i fyw yn rhai ohonynt.' Roedd effaith ewfforig penderfyniad y rheithgor yn parhau wrth i D J dalu teyrnged i'w gyd-ddiffynnydd: 'Wel Val, cadarn fal y graig a fuost o flaen gorsedd ei fawrhydi symudliw.

Ymennydd, cymeriad, didwylledd a boneddigeiddrwydd yn trechu'r Sais yn deg ar faes ei gyfraith ei hun ydoedd hi ddydd Mawrth.'

Roedd Saunders Lewis hefyd yr un mor galonogol, gan broffwydo wrth D J fod yr 'effaith ar Gymru eisoes yn fawr – fe dyf fwyfwy gyda hyn'.

Un o sgileffeithiau annisgwyl yr achos yng Nghaernarfon oedd dechrau'r newid yn statws y Gymraeg yn llysoedd Cymru. Amlygwyd diffyg statws yr iaith gan agwedd drahaus y Barnwr Lewis, ac fe arweiniodd hynny maes o law at gychwyn mudiad i ddeisebu o blaid statws cyfartal i'r Gymraeg. Yn y blynyddoedd cyn yr Ail Ryfel Byd, cyflwynwyd deiseb i'r Llywodraeth gan Undeb y Cymdeithasau Cymraeg ag enwau chwarter miliwn bobl arni, deiseb a gefnogwyd hefyd gan 30 o'r 36 Aelod Seneddol Cymreig. Canlyniad hyn yn y pen draw oedd cyflwyno Deddf Llysoedd Cymru 1942, a oedd am y tro cyntaf erioed yn rhoi caniatâd cyfyngedig i unrhyw dyst ddefnyddio'r Gymraeg mewn unrhyw lys yng Nghymru petai'r unigolyn hwnnw yn teimlo ei fod dan anfantais oherwydd mai'r Gymraeg oedd ei iaith gyntaf. Er nad oedd hyn o bell ffordd yn caniatáu statws cyfartal i'r Gymraeg, fe chwaraeodd achos 'Y Tri' yn 1936 ran flaenllaw wrth gymell y newid.

Ymysg y buddugoliaethau a gafodd y Blaid Genedlaethol yn ystod hanes ymgyrch yr Ysgol Fomio, mae'n debyg mai'r pennaf, fodd bynnag, oedd penderfyniad yr awdurdodau i symud yr ail achos llys i'r Old Bailey yn Llundain. Yn wir, yn dilyn canlyniad achos Llys y Goron, Caernarfon, gobaith y Blaid oedd y byddai'r awdurdodau yn penderfynu symud yr achos allan o Gymru. Ddiwedd Hydref ysgrifennodd Valentine at Kate Roberts yn dweud mai 'peth da fyddai mynd â'r achos i Lundain', oherwydd 'byddai modd cyffroi'r wlad drwyddi wedyn'.

Ddydd Sul, 22 Tachwedd, ymddangosodd hanes yn y papurau newydd fod Syr Donald Somervell, KC, y Twrnai Cyffredinol, yn bwriadu gwneud cais y bore Llun canlynol i symud yr ail achos o Gaernarfon i Lundain. Yn y gwrandawiad gerbron yr Arglwydd Hewart dywedodd y Twrnai Cyffredinol fod y cais i drosglwyddo'r achos yn cael ei gyflwyno o dan Adran 3 Deddf y Llys Troseddol Canolog 1856. Dadleuwyd mai prif ddiben Deddf 1856 oedd symud prawf i'r Central Criminal Court mewn achosion lle byddai teimladau lleol yn golygu y gallai dedfryd euog neu ddieuog arwain at gymell gwrthdystiadau treisiol yn lleol o blaid neu yn erbyn y diffynyddion. Dywedodd Syr Donald fod yr achos wedi ysgogi teimladau cryfion yn erbyn y maes awyr a bod grwpiau mawr o bobl wedi ymgynnull y tu allan i'r llys yng Nghaernarfon a bod peth helynt wedi deillio o hynny. Yn dilyn derbyn affidafidau gan amryw o unigolion a fu ynghlwm â'r achos penderfynodd yr Arglwydd Hewart ganiatáu symud yr achos i'r Old Bailey.

Ers blynyddoedd bu cenedlaetholwyr yn dadlau bod gan y Wladwriaeth Brydeinig agwedd drahaus a gormesol tuag at Gymru, ac roedd y penderfyniad yma yn datgelu hynny'n glir, a thrwy hynny rhoddwyd y fuddugoliaeth bropaganda fwyaf yn ei hanes i'r Blaid Genedlaethol.

6

'A most dangerous and wicked method'

Cynhaliwyd gwrandawiad yn yr Uchel Lys ar 7 Rhagfyr i ddadlau yn erbyn y penderfyniad i symud yr achos i Lundain. Cyn hynny bu gwrthdystio sylweddol gan gefnogwyr y tri yn erbyn y penderfyniad i symud y prawf.

Anfonwyd cannoedd o lythyrau'n gwrthwynebu'r penderfyniad, ac fe aeth dirprwyaeth o Aelodau Seneddol i gwrdd â'r Prif Weinidog, Stanley Baldwin, i geisio ei ddarbwyllo i ymyrryd yn y mater. Gwrthod a wnaeth Baldwin. Roedd y mater, meddai, yn *sub judice* ac nid ei le ef fel Prif Weinidog oedd ymyrryd mewn materion barnwrol.

Roedd Saunders, D J a Valentine eu hunain yn bresennol yn y gwrandawiad gerbron yr Arglwydd Hewart a'r Barnwyr Swift a Macnaughten. Dadleuwyd yn erbyn y penderfyniad i symud yr achos o Gymru ar ran y tri gan Norman Birkett, K C, Edmund Davies, a Dudley Collard. Cyfeiriodd Norman Birkett at y pamffled *Paham y Llosgasom yr Ysgol Fomio*, oedd yn cynnwys yr areithiau a baratowyd gan Valentine a Saunders Lewis i'w traddodi yn Llys y Goron, Caernarfon. Dywedodd y bargyfreithiwr ei bod yn amlwg mai ar sail cydwybod a theimladau crefyddol a chenedlaethol yr oedd y tri wedi gweithredu. Byrdwn y ddadl oedd na ddangoswyd y byddai symud yr achos o Gaernarfon yn 'expedient to the ends of justice'. Os oedd y rheol ynghylch teimladau lleol yn arwain at wrthdystiadau treisiol yn ddilys yna ni fyddai modd cynnal achos teg ynghylch unrhyw bwnc oedd yn ennyn teimladau neu ddiddordeb cenedlaethol. Nid oedd a wnelo Adran Mainc y Brenin ddim byd â barn trigolion lleol o'r prawf, na'r posibilrwydd y gallai achos llys ysgogi teimladau cryfion.

Nid oedd yno gynsail o gwbl, haerodd Norman Birkett, dros symud achos yn dilyn methiant rheithgor i ddod i gytundeb yn absenoldeb amgylchiadau arbennig megis ymgais i ymyrryd â thystion. Nid oedd amgylchiadau o'r fath yn berthnasol i'r achos hwn, a pheryglus fyddai gosod cynsail. Tynnodd yr Arglwydd Brif Ustus sylw at y ffaith fod Valentine yn ei araith wedi datgan:

> Ond mae fy nghenedl eisoes wedi fy marnu – y mae fy nghydgrefyddwyr yng Nghymru eisoes wedi rhoddi eu dedfryd arnaf. Treuliais y tair wythnos ddiwethaf yn teithio o fan i fan yn Neheudir a Gogledd Cymru yn pregethu yn uchel wyliau eglwysi fy enwad ... Rhoddasant i mi groeso a derbyniad mwy na chroeso a derbyniad tywysog neu frenin – rhoddasant i mi dderbyniad proffwyd – arddelasant fy ngweithred – rhoddasant eu bendith i mi; a heddiw ... y mae eu gweddïau yn fur ac yn amddiffyn i mi.

Dywedodd Norman Birkett nad oedd yn ymddangos bod Valentine wedi pregethu ar destun y prawf; y cyfan a olygai'r geiriau oedd nad oedd yn droseddwr yng ngolwg ei gyd-wladwyr. A oedd cynulleidfa'r gweinidog yn dod o'r un dosbarth â'r rheithgor, gofynnodd y Barnwr Swift. Os felly onid oedd yno awgrym o ganfasio'r rheithgor o'r pulpud? Atebodd Birkett nad oedd mewn sefyllfa i wybod o ba ddosbarth y deuai cynulleidfaoedd y capeli, ac nid oedd ychwaith yn gwybod a fu Mr Valentine yn pregethu yn Sir Gaernarfon. Aeth Birkett yn ei flaen i ddadlau mai'r gwir sail dros symud yr achos i Lundain oedd yr awydd i sicrhau dedfryd euog.

Swm a sylwedd dadl y Goron, meddai, oedd mai peth afresymol ar ran rheithgor Caernarfon oedd anghytuno, ac o'r herwydd nad oedd modd cynnal achos teg yng Nghaernarfon. Nid oedd yr ystyriaethau hynny'n berthnasol o dan Adran 3 Deddf 1856, a ph'run bynnag, o ragdybio nad oedd modd cynnal achos teg yng Nghaernarfon, pam symud y prawf i Lundain? Y cam arferol mewn amgylchiadau fel hyn fyddai cynnal y prawf mewn sir gyfagos. Ni symudwyd unrhyw achos o Gymru i Loegr ers canrifoedd. Nid oedd tystiolaeth, meddai, na ellid cynnal achos teg yng Nghaernarfon ac nid oedd sail dros symud yr achos o'r dref. Os tybid bod teimladau cenedlaethol yng Nghymru mor gryf fel nad oedd modd cynnal yr achos yn y wlad yna dylid datgan hynny'n blaen.

Ni alwyd ar y Twrnai Cyffredinol i ymateb i hyn, ond fe ddywedodd nad oedd y cais yn cynnwys y farn nad oedd modd cynnal achos teg yng Nghymru. Pe bai'r llys yn tybio mai priodol fyddai cynnal yr achos yng Nghaerdydd yna ni fyddai'n gwrthwynebu hynny.

Wrth draddodi ei ddyfarniad dywedodd yr Arglwydd

Cefnogwyr yn Llundain

Hewart, yn wyneb yr amgylchiadau a ddatgelwyd gan yr affidafidau, ei fod yn fodlon bod y gorchymyn yn unol â dibenion cyfiawnder. "At that juncture," meddai "it was best not to dwell on the matter." Ymhellach, bu'r Twrnai Cyffredinol yn iawn i beidio ag ystyried yr awgrym y gellid symud yr achos i Gaerdydd. Fe wnaed yr awgrym hwnnw mewn ymateb i gŵyn ynghylch symud yr achos i'r Central Criminal Court yn benodol. Nid oedd, fodd bynnag, yn ôl yr Arglwydd Brif Ustus, "the slightest ground for any such complaint." Felly pennwyd yn derfynol mai yn y Central Criminal Court yn Llundain yn Ionawr 1937 y byddai tynged y tri yn cael ei phenderfynu.

I raddau helaeth iawn, penderfyniad anorfod oedd hyn, ac wrth glywed ymateb rhagfarnllyd yr Arglwydd Brif Ustus nid oedd gobaith gan y diffynyddion i gadw'r achos yng Nghymru. Erbyn hynny, fodd bynnag, nid dyna oedd eu dymuniad, gan fod symud y prawf i'r Old Bailey wedi rhoi cyfle delfrydol i'r Blaid Genedlaethol ddangos trahauster y Sefydliad Prydeinig tuag at Gymru.

Bu peth trafodaeth ynghylch sut i ymateb i'r penderfyniad i symud yr achos. Dywed O M Roberts ei fod wedi dadlau na ddylai Saunders, D J a Valentine gytuno i fynd o'u gwirfodd i'r achos yn Llundain. Dylent, meddai, 'fod wedi aros a disgwyl i'r heddlu ddod i'w hebrwng i'r llys'. Penderfynwyd peidio â chymryd cam mor ddramatig a heriol, ond fe ddatgelodd Valentine wrth O M fod yna 'ddadl fach rhwng Saunders a minnau'. Roedd Valentine yn dadlau mai datganiad yn Gymraeg yn unig y dylai'r tri ei wneud gerbron yr Old Bailey, 'ac na ddylem yn Llundain ddywedyd ungair yn Saesneg. Efallai y rhoir dedfryd i ni am "Contempt of Court" ond pa ods bellach – wedi mynd cyn belled yna mynd i'r eithaf, a gwych o effaith fydd ein dedfrydu am ddefnyddio'r Gymraeg.' Ar ddiwedd ei lythyr dywed Valentine wrth ei gyfaill, ac un oedd yno gyda'r tri ar noson y tanio, am beidio â phryderu, gan ei fod yn mynd i'r llys 'yn berffaith dawel, ac yn falch fy mod yn cael cyfle i fynd'.

Ymddangosodd y tri gerbron yr Ustus Charles yn Llundain ar 13 Ionawr 1937 ond gohiriwyd yr achos am wythnos, tan 19 Ionawr. Nid drama hir fu'r ail achos llys, a seliwyd tynged y tri o fewn diwrnod. Dywedir bod y llys yn orlawn y dydd Mawrth hwnnw, gydag amryw wedi teithio yno ar drenau arbennig o Gymru i gefnogi'r diffynyddion. Penderfynwyd ymlaen llaw na fyddai angen cyfreithwyr i'w cynrychioli, ac fe blediodd y tri yn ddieuog i'r cyhuddiad.

Dywedodd Mr Stable wrth agor yr achos ar ran yr erlyniad fod y cyhuddiad yn cael ei ddwyn ar ddau gyfrif, ond bod y ffeithiau i gyd yn ymwneud ag un digwyddiad. Amlinellodd gefndir yr achos a arweiniodd at ddigwyddiadau noson 7–8 Medi 1936.

Y noson honno roedd gwyliwr gwersyll yr awyrlu ym Mhenrhos yn arolygu'r safle pan ymosodwyd arno gan ddau ddyn. Cafodd ei daflu i'r llawr a'i gadw yno. Sylwodd fod yno ddyn arall yn symud o gwmpas y gwersyll ac yna gwelodd gyfres o danau yn cael eu cychwyn hwnt ac yma ar dir y gwersyll. Dywedodd yr erlynydd nad oedd yn awgrymu bod y gwyliwr wedi cael ei daro neu ei anafu mewn unrhyw fodd ac eithrio ei fod wedi'i daflu i'r llawr a'i gadw yno. Ar ôl cael ei ryddhau dywedai'r gwyliwr iddo seinio rhybudd a bod y frigâd dân a'r heddlu wedi cyrraedd yn fuan wedi hynny. Cyhuddwyd y tri diffynnydd o roi cytiau a choed ar y safle ar dân, a bod y tân wedi'i gychwyn yng nghornel ogledd-orllewinol y gwersyll, a'i fod wedi llosgi drwy'r nos. Gwnaed gwerth £2,355 o ddifrod i eiddo'r Goron a gwerth £316 o ddifrod i offer a chyfarpar gweithwyr. Dinistriwyd amryw o swyddfeydd a siediau, yn ogystal â llyfrau cyfrifon a chardiau yswiriant, a daethpwyd o hyd i dri o duniau petrol wedi'u gwasgaru ar draws y safle y bore wedyn. Canfuwyd amryw o *firelighters* a matshys hefyd, yn ogystal â thri chwistrellydd pres a oedd wedi'u defnyddio i chwistrellu petrol.

Gyda golwg ar y gwyliwr nos, meddai'r erlynydd, roedd yn sylweddoli bod y diffynyddion, er eu bod yn cyfaddef iddynt danio'r gwersyll, yn gwadu ymosod arno ef. Nid ymosod ar y gwyliwr oedd y cyhuddiad a ddygid yn eu herbyn fodd bynnag; fe'u cyhuddid o roi'r gwersyll ar dân.

Yna amlinellwyd y modd y bu i'r tri fynd i orsaf heddlu

Y tri ar eu ffordd i'r Old Bailey

Pwllheli a chyfaddef trwy gyfrwng llythyr a roddwyd i'r Uwch-Arolygydd Moses Hughes eu bod yn cymryd cyfrifoldeb am y difrod a wnaed i'r Gwersyll Bomio ar nos Lun, 7 Medi. Roedd hyn, haerodd yr erlynydd, yn gyfaddefiad amlwg gan y tri eu bod yn euog o'r cyhuddiad yn eu herbyn a'u bod wedi gweithredu'n fwriadol gan wybod y byddent yn wynebu cyhuddiad troseddol. Yn wyneb hyn dim ond dyfarniad euog oedd yn gyson â'r dystiolaeth gerbron y rheithgor.

Yna galwyd tystion ar ran yr erlyniad. Yr un oedd y rhain â'r rhai a ymddangosodd yn achos Caernarfon, yn eu plith y gwyliwr David William Davies o Nefyn. Gofynnodd y barnwr iddo a oedd wedi adnabod unrhyw un o'r dynion a ymosododd arno. Dywedodd Mr Davies ei fod wedi adnabod un ohonynt, ond pan ofynnodd yr erlynydd iddo pwy oedd y gŵr hwnnw, atebodd y gwyliwr nad oedd yr unigolyn hwnnw wedi'i gyhuddo. Cymhellodd hynny bwl o chwerthin gan Saunders Lewis ac amryw o'r gwrandawyr, a bu'n rhaid i'r barnwr alw am dawelwch yn y llys. Ymysg y tystion eraill yr oedd Andrew Ferris, fforman adeiladu ar y maes awyr a ddaeth o hyd i dun petrol hanner llawn tua 30 llath o'r adeiladau oedd yn llosgi. Dywedodd John Wright, oedd yn gyfrifol am gerbydau modur ar y safle, nad oedd yr adeiladwyr wedi gadael unrhyw duniau petrol yno y noson honno.

Wedi i'r erlynydd orffen croesholi'r gwyliwr, trodd y barnwr at Saunders Lewis a gofyn iddo a oedd am holi'r tyst. Atebodd Saunders yn Gymraeg gan ddweud nad oedd am ei amddiffyn ei hun oherwydd ei fod yn gwadu hawl y llys i'w profi. Ni chafodd gyfle i orffen ei frawddeg, gan fod yr Ustus Charles wedi torri ar ei draws gan ofyn a fedrai siarad Saesneg. Atebodd Saunders Lewis ef yn Gymraeg trwy ddweud nad oedd yn bwriadu siarad Saesneg yn y llys. Cafwyd cadarnhad gan yr Uwch-Arolygydd Hughes o Bwllheli fod Saunders a Valentine yn medru Saesneg (nid oedd yn siŵr am allu'r trydydd diffynnydd i gyfathrebu yn yr iaith fain er mai athro Saesneg yn Ysgol Abergwaun oedd D J). Felly gofynnodd y barnwr i Saunders a Valentine yn eu tro a oeddent am holi'r tyst, "because if you do, you will ask it in English or not at all".

Ymateb Valentine i'r gorchymyn swta oedd, "Dim gair,

f'Arglwydd". Ymateb cyffelyb a roddodd D J, a dywedodd y tri nad oeddent am gyflwyno tystiolaeth eu hunain, ac nad oedd bwriad ganddynt i alw unrhyw dystion ar ran yr amddiffyniad, ac nad oeddent chwaith am annerch y rheithgor.

Fe ddywedodd D J, trwy'r cyfieithydd, ei fod yn dymuno dweud gair: "Gyda phob parch i'r rheithwyr Seisnig hyn, nid ystyriaf y gall neb wneud cyfiawnder â'n hachos ni ond rheithwyr o'n cyd-genedl. Dyna'r cyfan."

Wrth grynhoi, tynnodd yr Ustus Charles sylw at y ffaith fod y tri wedi cyfaddef eu cyfrifoldeb am y weithred ym Mhenrhos. Nid mater i'r rheithgor, meddai'r barnwr, oedd ystyried eu cymhellion. Yr unig gwestiwn perthnasol oedd: A oeddent wedi cyflawni'r weithred dan sylw?

Roedd y tri, meddai, wedi dweud iddynt losgi'r maes awyr, a'u bod wedi bwriadu gwneud hynny oherwydd eu gwrthwynebiad i sefydlu gwersyll yr awyrlu. Yn ôl y barnwr, roedd D J Williams wedi mynd gam ymhellach gan ddweud nad oedd yn cydnabod cyfansoddiad y Llys na'r rheithgor. Nid oedd sail gyfreithiol i'r ddadl honno, ebe'r barnwr, gan fod y cyhuddiad gerbron y Llys a gerbron y rheithgor yn yr achos yn briodol ac yn unol â'r gyfraith. Sefyllfa ryfedd oedd yma, meddai'r Ustus. Penderfynodd y Llywodraeth adeiladu maes awyr, ac roedd y cyhuddedig wedi dod i'r casgliad y dylent wneud rhywbeth anghyfreithlon a threisiol i dynnu sylw at eu safbwyntiau, a'u bod wedyn wedi rhoi'r adeiladau ar y safle ar dân gan wneud difrod sylweddol.

Os oedd "the rule of law" i'w dderbyn "in this country

and in Wales and Scotland", meddai (mewn ymgais efallai i gywiro pwyslais anghynnil y Barnwr Lewis yng Nghaernarfon ar "the law of England"), yna nid oedd awydd y tri gŵr hyn i dynnu sylw'r Llywodraeth at eu dadl yn amddiffyniad o fath yn y byd. Aeth y barnwr ymlaen i ddweud: "If it were open to people to say they were not guilty of burning buildings because of calling attention to their point of view, why should not a political party burn the property of the other side? They would not get the rule of law; they would get common anarchy." Dynion dysgedig oedd y rhain, meddai, a ddylai wybod yn well, ac roeddent wedi dewis troi at y dulliau drygionus ("wicked" oedd union air yr Ustus Charles) i dynnu sylw atynt eu hunain ac at eu hachos.

Ni fu'n rhaid i'r rheithgor adael y llys cyn dod i'w dyfarniad. Ar ôl ymgynghori'n sydyn â'i gilydd cafwyd y tri diffynnydd yn euog. Yna gofynnwyd i'r tri a oedd ganddynt unrhyw beth pellach i'w ddweud cyn eu dedfrydu. Ysgwyd eu pennau i ateb na a wnaeth y dynion yn y doc. Wrth draddodi'r ddedfryd dywedodd y barnwr:

> You three men – educated men – have resorted to a most dangerous and wicked method of calling attention to what you believe to be the propriety of your views. It is not for me to express any opinion. All I can say is that this is a plain case of arson and malicious damage, not to houses in which people reside, but to empty places, and doing damage to a large amount. I must sentence all of you as it would be in ill accord with the legal history of this country if it should be understood for one moment that justice is not administered properly because of some

> reason put up by an accused person which is not a reason for doing that which he did.

Ar ddiwedd yr achos llys ymgasglodd torf y tu allan i'r Old Bailey gan ganu 'Hen Wlad fy Nhadau' a bloeddio cefnogaeth i'r tri. Y ddedfryd oedd treulio naw mis yn y carchar: y rhai cyntaf i fynd i garchar yn enw Cymru ers dyddiau Gwrthryfel Owain Glyndŵr chwe chanrif yn ôl.

7

'Poen marw, sydd byth yn marw'

Bu peth trafodaeth ymysg y tri ynghylch pwy ohonynt ddylai ysgrifennu eu hargraffiadau o'r carchar. Nid oedd Saunders yn awyddus i wneud y gwaith, felly roedd angen dewis rhwng D J a Valentine.

Ysgrifennodd Saunders at D J yn awgrymu y byddai'n well ganddo weld Valentine yn ymgymryd â'r dasg oherwydd y byddai Valentine yn fwy tebygol o lunio cofnod gwrthrychol: 'Fy unig ofn i yw nad oes gennych chwi [D J] lygaid i weld y drwg mewn dynion – y mae eich atgofion yn debyg o fod yn orgaredig, a'r digrif diniwed yn y carcharorion yn eich hudo i anghofio gymaint oedd y cas a'r cenfigen tuag atom ni'n tri yn weddol unfryd-gyffredinol.' Felly, Valentine aeth ati i adrodd eu profiadau ar bapur, gydag anogaeth barod D J: 'Wada di bant â'th erthyglau i'r Ddraig ar bob cyfri. Y mae eisiau rhywbeth ar unwaith cyn i'r cawl ddechrau oeri.' Ymddangosodd yr ysgrifau *Beddau'r Byw* dros gyfnod o ddwy flynedd yn *Y Ddraig Goch* rhwng 1937 ac 1939, a'r atgofion yma yw prif sail y bennod hon.

Wrth edrych yn ôl ar ei gyfnod yn y carchar, dywedodd Lewis Valentine ei fod yn 'falch o gael bod yna. Ac os ydych chi'n falch o fod yn rhywle fe allwch chi oddef llawer heb ei ystyried o'n ddioddefaint.' Er gwaethaf teimladau hunanaberthol a stoicaidd fel y rhain, profiad annymunol ac anodd fu'r cyfnod yn Wormwood Scrubs i'r tri, serch hynny, ac mae'n bosib fod y profiad wedi'u creithio i raddau mwy na'r hyn a ddywedwyd ganddynt yn gyhoeddus wedi'u rhyddhau.

Yn sicr roeddent yn gwybod nad oedd amser hawdd o'u blaenau, ac roedd hynny yn rhwym o godi ofnau a phryderon ynddynt. Cofiai D J am un achlysur pan oedd y tri ar y trên ar eu ffordd yn ôl i dde Cymru o Lundain ar ôl y gwrandawiad: 'Ar ganol ein sgwrs, sylwasom fod y cerbyd yn sydyn yn dechrau tywyllu. "Helo," meddwn i, "yr ydym yn mynd i mewn i dwnnel yr Hafren." "Ydym," atebodd Valentine, "ond aros dipyn bach, ac fe fyddwn ni'n mynd i mewn i dwnel gryn dipyn yn hirach".'

Eto i gyd, dywedodd Valentine na chafodd geiriau'r barnwr wrth eu dedfrydu i naw mis effaith mor ddychrynllyd â'r disgwyl arno: 'Ni ddychlamodd fy nghalon; ni chrynodd fy ngliniau, ni theimlais fod y byd ar ben, ac ni ddaeth imi funud o banig gwallgof.'

Ei deimlad pennaf, meddai, oedd ei bod yn dda ganddo fod y ffars ar ben, a chyfaddefodd ei fod yn falch o gael dianc i rywle 'rhag edrych ar y golwg ingol oedd ar wyneb yr Athro J E Daniel, a eisteddai wrth fwrdd yn llawr y llys yn union syth o'm blaen'. Ynghlwm â'r tosturi a deimlai at Daniel, a'i bryder personol am un a fu mor agos at fod yn un o'r tri gerbron yr Old Bailey, roedd pryder hefyd am y cyfrifoldeb a fyddai bellach ar ysgwyddau Daniel fel dirprwy lywydd y Blaid Genedlaethol am y flwyddyn y byddai'r tri yn Wormwood Scrubs. 'Prun oedd y carchar caethaf?' holodd Valentine wedyn. 'Y carchar a ddodai muriau arnom ni, ynteu'r carchar a ddodai cyfrifoldeb Daniel arno ef?' Gyda dau o brif arweinwyr y mudiad ac un o'i ysbrydolwyr pennaf dan glo yn Llundain roedd y dasg o gynnal y momentwm yn un fawr ac nid rhyfedd i Valentine gydymdeimlo â'r Athro Daniel.

Ar ôl i'r barnwr basio'r ddedfryd, dilynwyd y tri i lawr y grisiau gan y swyddogion a fu'n sefyll ar ddyletswydd yn eu gwylio yn y doc. Yno hefyd, roedd llywodraethwr carchar Brixton, a phe bai'r Llys wedi methu â phenderfynu eu tynged y diwrnod hwnnw byddai'r diffynyddion wedi'u trosglwyddo i'w ofal ef am y noson. Cyfarchodd y Llywodraethwr y carcharorion ac atebodd Valentine ef gan ddweud, "Diolch i'r nef fod y ffars hon ar ben." Ateb y Llywodraethwr oedd mai "damned waste of time" fu'r achos yn ei farn ef.

Tywyswyd hwynt gan y swyddogion ar hyd coridor hir tywyll, a rhes o gelloedd ar bob ochr. Er iddynt fod mewn cell o'r blaen yng ngorsaf heddlu Pwllheli, ac wrth aros i'w hachos ddod gerbron y Llys yng Nghaernarfon, i lygaid Valentine roedd celloedd yr Old Bailey 'yn fwy durol a diobaith a chreulon'. Fe'u hebryngwyd i ryw fath o swyddfa lle roedd tri neu bedwar o swyddogion eraill mewn lifrai las.

Chwiliwyd ac archwiliwyd y tri, a rhoddwyd hynny

o eiddo a oedd ganddynt mewn bag cynfas. Yna fe'u holwyd yn fanwl am eu tras a'u hachau, eu henwau a'u galwedigaethau. Dyma'r cyntaf o sawl sesiwn croesholi manwl a brofwyd yn ystod yr wythnos gyntaf o fod yn y carchar. Er bod yr wybodaeth eisoes ar y ffurflenni a oedd ym meddiant y swyddogion, roedd yn rhaid mynd drwy'r broses fiwrocrataidd o ddad-ddynoli'r carcharorion. Yn ofer gofynnodd Valentine am sigarét, ond anwybyddwyd ef gan y swyddog, a sylweddolodd bryd hynny ei fod wedi ysmygu ei sigarét olaf am wythnosau.

Arweiniwyd hwynt wedyn i'r celloedd a'u cloi yno, pob un mewn cell ar wahân. Dywedodd Valentine mai ei unig ofn oedd y byddai'r awdurdodau yn dewis gwahanu'r tri oddi wrth ei gilydd, ac y treulient eu dedfryd mewn carchardai gwahanol.

Cell gyfyng a thywyll oedd honno o dan yr Old Bailey, mae'n debyg. Roedd yno stôl a bwrdd a hen gylchgrawn arno a llawer o'r tudalennau wedi'u rhwygo. Ceisiodd Valentine dawelu ei nerfau a darllen y cylchgrawn, ond roedd darnau o erthyglau ar goll, a ph'run bynnag roedd yn anodd darllen mewn golau gwan. Cymaint oedd gwasgfa'r ofn o gael ei gau i mewn arno nes iddo gael ei demtio i ganu cloch y gell a gofyn i'r swyddog adael y drws yn gilagored, ond llwyddodd i wrthsefyll yr awydd gan sylweddoli mai arwydd o wendid fyddai mynd ar drugaredd y swyddogion.

Ymhen ychydig datglowyd drysau'r celloedd ac arweiniwyd y tri, gyda swyddog wrth ysgwydd pob un ohonynt, ar hyd drysfa o goridorau a grisiau i fuarth. Ni roddwyd gefynnau ar eu harddyrnau, ond fe'u gorchmynnwyd

3 Heddwch Duw arnoch, a'r [illegible], Elena a'r plant [illegible]

F'annwyl Dad,

Ddaru 'chi erioed feddwl y buasai un o'ch plant yn eich cyfarch o garchar, ond rhyfedd yw troeon bywyd. Diolch yn fawr i chi am eich llythyr – rhoddais ef yn slei bach i D.J. i'w ddarllen a'i farn ef, sy'n llenor gwych, ydyw bod gan chi ddawn sgwennu. Yr ydych yn [illegible] [illegible] [illegible] [illegible] yn [illegible] [illegible] i Gynhadledd y Blaid yng Nghaernarfon. Byddaf yn meddwl weithiau eich bod yn blysio i'r Blaid eich mabwysiadu fel Ymgeisydd dros Orllewin Dinbych! Cawsom holl helynt Machynlleth, ac y mae'n anodd i ni yma wybod beth sy'n cymryd lle. Y mae hi'l yn ddigalon [illegible] [illegible] Dewi – [illegible] [illegible] a wnaethant erioed, ond nid beth a ddywed 'Meddwl' sy'n bwysig, – am 'yfory' y gweithiwn, a phe caffom [illegible] [illegible] i [illegible] y bydd Cymru yfory yn deilwng o'n breuddwydion amdani, dyna ddedwydd[illegible] a fydda i'n ddedwyddwch!

Ond dyna gas i minnau wneud araith [illegible] Dewi! Bydd yn dda gennyf feddwl, er eich [illegible], pan fyddo'r [illegible] yna wedi cilio, a dyfod [illegible] hon. Am daith [illegible] yr wyf yn meddwl y [illegible] yma – dyna hyfrydwch [illegible]! Cofiwch fi at John Morris, a'r Saint bach sy'n [illegible] na wyddant mor agos y maent at realiti. Yr wyf [illegible] i chwi fy nghofio at [illegible] [illegible] [illegible] [illegible] yn Rhydyfoel – [illegible] [illegible] [illegible] a chyfeillion a gweinidog! A chanol [illegible] [illegible] – Pitar – Mrs Jones a Hywel a helo a'r ci! Meddyliaf lawer amdanynt, a chofiwch fi at Dafydd Tôn. Ond waeth heb ddechrau enwi – y gwaith [illegible] i chwi [illegible] [illegible] [illegible] [illegible] [illegible] – [illegible] o [illegible] [illegible] [illegible] a [illegible] [illegible]! Pryd y disgwyl [illegible] [illegible] – cofion at Elena – ei holl [illegible] a'r bregethau – dim arall [illegible]!

Llythyr Valentine o'r carchar at ei dad

i gerdded yn gyflym i gerbyd du mawr, sef y 'Black Maria'. Dringodd y tri i mewn iddo, dilynwyd hwynt gan dri swyddog a chlowyd y drws. Cychwynnodd y cerbyd ac aed â hwynt i garchar Wormwood Scrubs.

23/3/27. [illegible]

In replying to this letter, please write on the envelope:—

Number 8989 Name L Valentine

99/3 a.D. WORMWOOD SCRUBBS, W. 12 Prison

The following regulations as to communications, by Visit or Letter, between prisoners and their friends are notified for the information of their correspondents.

The permission to write and receive letters is given to prisoners for the purpose of enabling them to keep up a connection with their respectable friends.

All letters are read by the Prison Autorities. They must be legibly written and not crossed. Any which are of an objectionable tendency, either to or from prisoners, will be suppressed.

Prisoners are permitted to receive and to write a letter at intervals, which depend on the rules of the stage they attain by industry and good conduct; but matters of special importance [illegible] prisoner may be [illegible] at any [illegible] (prepaid) to the Gov[illegible] the prison[illegible]

In case of misconduct, the privilege of [illegible] and writing a letter may be forfeited for a time.

Money, Postage Stamps, Food, Tobacco Clothes, etc., should not be sent to prisoners for their use in Prison, as nothing is allowed o be received at the Prison for that purpose.

Persons attempting to communicate withprisoners contrary to the rules, or to introduce any article to or for prisoners, are liable to fine or imprisonment, and any prisoner concerned in such practices is liable to be severely punshed.

Prisoners' friends are sometimes applied to by unauthorised persons, to give or send money, under pretence that it will be for the benefit of the prisoners. The people who make these requests are trying to get money for themselves by fraudulent pretences. If the friends of a prisoner are asked for money, either verbally or by letter, they should at once inform the Governor of the Prison about the matter, and send him any letter they have received.

Prisoners are allowed to receive visits from their friends, according to rules, at intervals which depend on their stage.

When visits are due to prisoners, notification will be sent to the friends whom they desire to visit them.

No. 243 (15717—19 4-23)

Cefn llythyr Valentine

Ar ôl cyrraedd cafodd y tri eu pwyso ac yna eu harwain i gelloedd bychain cyfyng a chael eu gorchymyn i dynnu eu dillad. Yna, gyda dim ond lliain gwely i guddio'u hunain, a lliain sychu bras, tywyswyd hwynt i'r baddonau. Dywedodd

Valentine nad oedd y baddonau yn edrych yn lân iawn, ac roedd y dŵr yn oer, 'ac er nad oedd ond hanner awr er pan laniasom yn y carchar, ac er i mi gael bath hyfryd yn y gwesty cyn gadael am y llys, y bore hwnnw, yr oeddwn eisoes yn teimlo bod holl fudreddi'r cread arnaf, a dyn a wyddai pryd y ceid y bath nesaf. I mewn â ni, ac allan cyn gynted ag yr aethom i mewn. Nid oedd eisiau swyddog i'n hannog i frysio allan.'

Wedi'r ymolchi rhynllyd y cam nesaf oedd dilladu'r carcharorion. Hon oedd y ddefod a ofnai Valentine fwyaf. Bu'n craffu ar y ffordd i mewn i'r carchar ar ddillad y carcharorion a welai. 'Sut yn y byd mawr,' holodd, 'oedd dygymod â dillad oedd wedi eu gwisgo gan garcharorion eraill? Beth oedd safon glendid y tŷ golchi? Pa fath ar garcharorion a wisgodd y dillad o'n blaen ni? Pa ofal a gymerid rhag cymysgu dillad carcharorion heintus â dillad carcharorion eraill?'

Rhoddwyd dillad isaf iddynt o wlanen las drwchus ('o leiaf, buont yn las unwaith'), a throwsus llwyd oedd ond yn ymestyn at ganol y goes. Cafodd y tri gas gobennydd yr un hefyd, ynghyd â lliain sychu, dillad gwely, brws dannedd, a brws gwallt prin ei flew, a thun crwn o bowdr dannedd. Yna, aed â hwynt i adran o'r brif neuadd lle cedwid llyfrau defosiynol y gwahanol gyrff crefyddol. Roedd yno adran i Gatholigion, Anglicaniaid ac Iddewon, a dywedwyd wrthynt fod rhyddid iddynt ddewis llyfrau o'r adran Anglicanaidd.

Ar ôl hynny gorchmynnwyd iddynt ddilyn swyddog carchar trwy fuarth at neuadd enfawr. Canodd y swyddog y gloch, ac agorwyd drysau dwbl. Dywedodd Valentine fod distawrwydd y lle'n frawychus; roedd fel tawelwch y bedd. Ar bob ochr roedd rhes o gelloedd ar bedwar llawr, a phâr o esgidiau a'u gwadnau i fyny o flaen drws pob cell. Cafodd y tri eu gosod mewn celloedd ar loriau gwahanol. Rhoddwyd D J Williams, neu garcharor rhif 8988 fel y cyfeirid ato bellach, ar y llawr gwaelod; ar yr ail lawr roedd cell Lewis Valentine, carcharor rhif 8989; ac roedd cell Saunders Lewis, carcharor rhif 8890, ar y trydydd llawr.

Yn eu tro agorwyd drws dur cell pob un o'r tri, ac amneidiwyd arnynt i fynd i mewn, heb gyfarwyddyd na chyfarchiad geiriol. Yna caewyd y drws a throi'r clo dwbl. 'A chau erchyll oedd y cau hwnnw', yn ôl Valentine.

Gyferbyn â'r drws roedd ffenestr fechan uchel wedi'i rhannu'n bymtheg cwarel, ond dim ond dwy o'r rheini oedd yn agor i awyru'r gell. Dodrefn y gell oedd stôl neu gadair, bwrdd bach, dwy silff, jwg ddŵr a dysgl ymolchi ar fwrdd bychan yn y gornel ger y drws, cawg pridd a phlât enamel. Llawr pren oedd i'r gell, ac roedd disgwyl i'r carcharor ei lanhau'n drylwyr o leiaf unwaith yr wythnos. Rhoddwyd dau ddilledyn gwely i bob carcharor ynghyd â dwy gynfas a chlustog fechan. Gwely digon cyntefig oedd yno hefyd – ffrâm bren a matras galed ddigysur.

Adeiladwyd carchar Wormwood Scrubs yn yr 1880au trwy ddefnyddio llafur y carcharorion. Yn 1937 roedd yno bedair neuadd fawr o fewn rhyw ddau canllath i'w gilydd, ac fe'u dynodid gan lythrennau A, B, C a D, ac yno fe gedwid tua deuddeg cant o garcharorion. Rhwng neuaddau B ac C roedd yna safle crydd a seiri coed, sièd gynfas, baddonau a chegin.

Yn gyfochrog â neuaddau B ac C roedd yna adeilad mawr ar ddull Gothig, sef yr Eglwys Anglicanaidd y bu Valentine a D J yn aelodau ohoni yn ystod eu cyfnod yn y carchar. Rhwng neuaddau C a D wedyn roedd yna safle teilwriaid, gwneuthurwyr ysgubau, storfa ddillad, llyfrgell a chapel Catholig a synagog i'r Iddewon. Disgrifiodd Valentine y neuaddau fel 'tyrau Babel' yn codi o ganol yr adeiladau isaf. Cyffelybodd y rhesi hirion o ffenestri'r celloedd yn y gaeaf pan oedd y golau'n llifo trwyddynt i res o benglogau. Cadw trefn ar yr anystywallt oedd diben rhannu'r carchar yn bedair neuadd, er mwyn lleihau'r perygl o wrthdaro rhwng swyddogion a charcharorion a rhwng carcharorion a'i gilydd.

O amgylch yr holl adeiladau hyn roedd yna wal fawr bymtheg troedfedd o uchder a thŵr ymhob cornel ohoni. Yn ystod cyfnod y tri yno ceisiodd dau garcharor ifanc ddianc drwy ddringo a neidio dros y wal, ond methodd y cynllun pan syrthiodd un ohonynt a thorri ei asennau. Byddai Valentine a D J yn treulio'r oriau weithiau yn trafod cynlluniau i'w dringo a dianc!

Byddai pob carcharor a gawsai ddedfryd o dri mis neu fwy yn cychwyn ei ddedfryd yn Neuadd C, a dyna lle dechreuodd y tri eu cyfnod. Neuadd y cosbi oedd hon, lle ceisid torri'r carcharorion i mewn, ac roedd amodau bywyd yno yn galed. Ni welodd Valentine unrhyw swyddog yn ymosod ar garcharor, ond yn Neuadd C nid oedd diwedd ar gyfarth di-baid y swyddogion. Byddai pob carcharor yn cael ei wylio'n fanwl, a chyfyngid ar sgwrsio a symudiadau'r dynion. Fel y dywedodd Valentine, 'yma gwneir pob ymgais i ddarostwng dyn a dolurio pob mymryn o hunanbarch a fo ganddo'.

O amgylch pob llawr, roedd rhes o gelloedd, gyda deugain a dwy o gelloedd ar bob ochr, felly roedd yno dros dri chant o gelloedd ym mhob un o'r pedair neuadd. Yn Neuadd C neilltuid rhai celloedd ar y llawr isaf i garcharorion a ddioddefai o glefydau rhywiol a heintiau eraill, a nodwyd hynny ar y drysau gydag arwydd y Groes Goch a'r llythrennau 'V D' Roedd y dynion hyn dan ofal swyddog arbennig, a fyddai'n cyfeirio atynt fel 'Van Dycks'. Tra oedd yr haint arnynt byddent yn cael eu cadw ar wahân i weddill y carcharorion, a'u prif waith oedd malu cerrig. Roedd toiledau pwrpasol ar eu cyfer hefyd, ond mae'n debyg eu bod yn defnyddio'r toiledau arferol yn rheolaidd. Roedd arferion gwrywgydiol yn beth cyffredin yn y carchar hefyd yn ôl Valentine.

Un o'r pethau mwyaf trawiadol am y carchar oedd y drewdod enbyd. Yn Wormwood Scrubs roedd yno yr hyn a elwid yn 'arllwysfa' ar gyfer pob rhyw ddeugain o gelloedd. Yma byddai'r carcharorion yn anelu bob bore i arllwys carthion y noson gynt. Yn ôl Valentine un o ffiaidd bethau'r carchar oedd y parêd pan agorid y celloedd yn y bore, lle byddai degau o garcharorion â'u pot yn eu llaw yn aros eu tro i ddefnyddio'r arllwysfa. Dywedodd mai 'drewdod anhraethadwy oedd "bore da" pob carcharor, a'r neb ni ŵyr am ddrewdod carchar ni ŵyr beth yw drewdodau. Treiddia i bobman – i'r siop a'r gweithdy a'r eglwys. Nid oes ffoi rhagddo.' Ar ben y drewdod a'r bwyd gwael roedd sŵn y carchar yn gallu bod yn hunllefus hefyd, yn enwedig yn y nos: 'Ambell noson roeddech chi'n deffro a chlywed rhai o'r bechgyn yn nadu a chrio a mynd yn hanner gwallgof yn eu celloedd – yn enwedig rhai oedd i mewn ynglŷn â drygiau ac yn methu eu cael.' Ond gwaeth na dim oedd yr hiraeth ingol: 'Rwy'n cofio mynd i'r llawr uchaf ar ddiwrnod braf ym mis Mehefin ac edrych ar ddail y coed, a bron â thorri 'nghalon gan hiraeth.'

Yn fuan ar ôl cyrraedd y 'Scrubs' dyrannwyd dyletswyddau i'r tri. Y llyfrgell oedd maes dyletswyddau D J, disgwylid i Saunders gyflawni gwaith yn y sacristan a glanhau'r capel a chynorthwyo'r offeiriad Pabyddol, tra anfonwyd Valentine i weithio yn y storfa ddillad. Ar nosweithiau Llun byddai'r carcharorion yn mynychu 'Nature Study', a byddai D J a Valentine yn canu yng nghôr Eglwys Loegr ar nos Fercher. Rhoddai hynny gyfle iddynt gyfathrebu, er mai canu eu sgwrs ar alaw'r côr a wnaent gan nad cyfle i gymdeithasu rhwng carcharorion oedd yr ymarferiadau cerddorol. Ar nosweithiau Iau byddent yn mynychu gwersi Ffrangeg, a roes gyfle iddynt dynnu coes Saunders y byddent yn gallu darllen bwydlenni cyfandirol Soho heb ei gymorth o hynny ymlaen!

Er llwyddo i achub ambell i eiliad ysgafn fel hyn, ac er gwaethaf eu balchder o gael bod ym Mhlasau'r Brenin yn enw Cymru, mae'n bosibl fod y tri wedi dioddef mwy yn y carchar na'r argraff a roddwyd ganddynt i'r cyhoedd ar y pryd. Consýrn gwarchodol am eu teuluoedd oedd i gyfri am hyn. Fel y dywedodd D J mewn llythyr o'r carchar at Siân ei wraig: 'O safbwynt cyfraith Lloegr yr ydym yn haeddu'r gosb a gawn. Y creulondeb na ellir ei osgoi yw bod y gwragedd a'r plant ac eraill yn gorfod dioddef gyda ni.'

Yn wir mae'n debygol iawn eu bod wedi cuddio effaith y carchariad arnynt oddi wrth bawb ond ei gilydd. Bu Saunders yn sâl ar sawl achlysur a bu i mewn ac allan o ysbyty'r carchar trwy gydol y cyfnod. Dioddefodd Valentine boenau i'w ochr tua diwedd y carchariad, ond dim byd difrifol. Y bwgan mawr iddo ef oedd clawstroffobia. Dioddefai o'r cyflwr hwnnw fyth ers iddo gael ei gosbi yn yr ysgol yn blentyn am fethu ag adrodd yr wyddor Saesneg yn gywir. Bu'r ofn hwnnw yn gysgod tywyll dros ei gyfnod yno, a chyfaddefodd mai 'gorchfygu'r ofn yna fu fy mhoen fwyaf yn y Carchar'. Rhoddodd D J ddisgrifiad syml ond dirdynnol o'i fywyd yn Wormwood Scrubs, pan ddywedodd mai: 'Poen marw nad yw byth yn marw ydyw … Yno y mae'r hwyr yn disgwyl am y bore, a'r bore am yr hwyr …'

Cymysg oedd effaith y weithred a'r carchariad ar yrfaoedd personol y tri hefyd. Bu'n rhaid i D J wynebu'r *School Board* i amddiffyn ei hawl i barhau yn ei swydd fel athro Saesneg yn Ysgol Abergwaun, a thrwy gyflwyno apêl daer fe lwyddodd i gadw ei swydd (er i ddisgyblion yr ysgol ei fedyddio â'r llysenw 'Bill the Bomber' am flynyddoedd wedyn). Valentine fu'r mwyaf ffodus o'r tri. Ni chafodd ddim ond cefnogaeth gadarn gan gapel y Tabernacl, Llandudno, a dywedir mai un teulu'n unig a dynnodd ei aelodaeth o'r capel yn ôl mewn protest.

Fodd bynnag, fe ddioddefodd gyrfa Saunders Lewis ergyd drom am ei ran yn llosgi'r Ysgol Fomio. Yn syth ar ôl ei ymddangosiad cyntaf gerbron Ynadon Pwllheli ym Medi 1936, gofynnodd prifathro Coleg Prifysgol Abertawe, C A Edwards, iddo ymddiswyddo fel darlithydd. Gwrthod wnaeth Saunders, a gofyn am gael cwrdd â Chyngor y Coleg. Ni chafodd ateb i'w gais. Ar 18 Hydref 1936, lai nag wythnos ar ôl yr achos yn Llys y Goron, Caernarfon, cafodd ei atal o'i waith a'i wahardd rhag darlithio yng Ngholeg y Brifysgol. Bu'r penderfyniad yma gan awdurdodau'r coleg yn ddadleuol a dweud y lleiaf, ac arweiniodd at gryn gythrwfl a chynnen ymysg academyddion a llenorion Cymru. Cafwyd ymgyrchu a deisebu ffyrnig trwy gydol y misoedd hyn. Rhanedig oedd ymateb deallusion Cymru serch hynny. Ar y naill ochr roedd pleidwyr a chefnogwyr Saunders fel R Williams Parry a Griffith John Williams yn dadlau'n daer dros ei achos, ac ar yr ochr arall roedd academyddion disglair fel Ifor Williams ac R T Jenkins yn llawer mwy gofalus ac amharod i'w gefnogi.

Yna, rai wythnosau ar ôl iddo gael ei ddedfrydu i garchar, cyfarfu Cyngor Coleg Abertawe ar 15 Chwefror 1937 a phenderfynu o 12 pleidlais i 11 i'w ddiswyddo. Aeth y Coleg ati'n ddiarbed i benodi darlithydd arall yn ei le yn Adran y Gymraeg yn Abertawe. Ychwanegodd hyn at y dybiaeth ymysg cefnogwyr Saunders fod Henry Lewis, pennaeth Adran y Gymraeg yn y Coleg ac un o ysgolheigion Cymraeg pennaf y cyfnod, yn hynod elyniaethus iddo, ac wedi gweithredu'n bwrpasol i gael gwared arno o'r adran.

Clywodd Saunders y newyddion annifyr hwn yn Wormwood Scrubs, ond roedd yn gymharol laconig am y peth. Laconig, ond deifiol hefyd. Ysgrifennodd at ei wraig Margaret gan ddweud: 'I am of course, reconciled to the college news … as for Henry Lewis and the college authorities they have chosen their path. And Henry Lewis is especially ugly ...'

Er hynny, yn ôl Bedwyr Lewis Jones, fe achosodd yr holl beth rhyw 'fath o ryfel cartref ymysg yr inteligensia yng Nghymru'; ac fel mewn rhyfeloedd o'r fath cafwyd gwenwyn a drwgdeimlad anghymedrol ar y ddwy ochr. Gellir dyfalu bod y penderfyniad i ddiswyddo Saunders Lewis yn ganlyniad nid yn unig i ddiawledigrwydd ar ran carfanau gwrth-Gymreig o fewn Prifysgol Cymru, ond hefyd y drwgdeimlad personol a fodolai yn erbyn Saunders ei hun yng Ngholeg Abertawe. Un peth oedd gwrthod cefnogi ei weithred ar y sail eu bod yn gwrthwynebu dull y brotest, fel y gwnaeth amryw o'r academwyr hyn, peth arall oedd derbyn diswyddiad un o ddeallusion praffaf a mwyaf gwreiddiol ei genhedlaeth.

Treuliwyd Dydd Gŵyl Ddewi yn y carchar a chyfaddefodd Valentine wrth Saunders mai dyma oedd Dydd Gŵyl Ddewi hapusaf ei fywyd. Ni allai ddymuno gwell na bod yng ngharchar dros wlad y nawddsant. Flwyddyn union yn ôl, meddai Valentine, roedd yn annerch cyfarfod Gŵyl Ddewi yng Nghapel Priory Road, Lerpwl, 'ac edrychwch arna i rŵan!', ond gan ychwanegu bod hyn yn llawer mwy buddiol i Gymru na holl swperau'r Cymmrodorion.

Adeg Gŵyl Ddewi hefyd, cafodd y tri ganiatâd arbennig i wrando ar ddarllediad o ddrama radio Saunders Lewis, *Buchedd Garmon*, ar y BBC yn ystafell y Llywodraethwr. Nid yw'n gwbl glir sut y llwyddodd y tri i gael y fraint hon, ond fe awgrymodd Valentine wedyn fod ei frawd

Idwal, oedd yn dilyn gyrfa ddisglair gyda'r heddlu ym Manceinion, wedi sicrhau ambell gonsesiwn iddynt am ei fod yn adnabod y Llywodraethwr. Yn wir, rai dyddiau wedi'r darllediad, daeth y Llywodraethwr at Saunders a gofyn iddo sut dderbyniad a gafodd y ddrama, gan ychwanegu mae'n siŵr fod ymateb ffafriol yn gysur iddo: "I'm so glad; it must be a real consolation to you and must make up for a lot."

Cysur arall i Saunders Lewis yn y cyfnod anodd hwn oedd ei ffydd Babyddol, a chefnogaeth rhai o ffigurau amlycaf yr eglwys honno i'w safiad. Ym mis Ebrill cafodd ymweliad yn Wormwood Scrubs gan Archesgob Catholig Mynyw, Michael McGrath. Tanlinellodd yr archesgob ei gefnogaeth iddo trwy wisgo ei ddillad eglwysig ar gyfer yr ymweliad a dywedodd yn blwmp ac yn blaen hefyd ei fod yn cymeradwyo gweithred Porth Neigwl yn ddiamwys 'and had let his clergy know so'.

Amser clwydo carcharorion Wormwood Scrubs oedd naw o'r gloch yr hwyr, ac amser codi oedd chwech y bore. Byddai amodau caeth ar ohebiaeth y carcharorion hefyd. Roedd hawl ganddynt i anfon llythyr ddwywaith mewn tair wythnos, a derbyn un llythyr bob deng niwrnod.

Ganol mis Mawrth symudwyd y tri o gyfundrefn galed Neuadd C i drefn lai caeth Neuadd D. Yn Neuadd D roedd hawl gan y carcharorion i gydgerdded fesul dau yn ystod awr ymarfer y bore, ac yn nes ymlaen yn y dydd caent loetran yn griwiau ar yr iard ymarfer. Yn eu celloedd y byddai carcharorion Neuadd C yn bwyta eu bwyd, ond yn Neuadd D caent fwyta eu pryd ar fwrdd gyda deuddeg o'u cyd-garcharorion. Braint amheus oedd hynny yn ôl Saunders Lewis, ac roedd y tri yn dal i gael eu cadw ar wahân, er bod cyfle ar ôl cinio rhwng dydd Llun a dydd Gwener i Valentine a Saunders achub hanner awr i eistedd a sgwrsio, ac ar y Sul byddai cyfle gan D J i ymuno â nhw.

Ym mis Mai cafwyd dathliadau ledled yr Ymerodraeth adeg coroni Siôr VI yn frenin, ac nid oedd Wormwood Scrubs yn eithriad. Ar y Sul cyn y coroni, penderfynodd y caplan y byddai'r côr Anglicanaidd, roedd D J a Valentine yn aelodau ohono, yn canu'r anthem genedlaethol 'God Save the King' fel emyn yn y gwasanaeth. Ceisiodd y ddau Gymro ddarbwyllo'r caplan i hepgor yr anthem o'r gwasanaeth ond yn ofer. Felly yn ystod y gwasanaeth penderfynodd y ddau brotestio yn erbyn y digwyddiad drwy eistedd yn ystod y canu. Nid arwyr glew yn herio'r

Y diwrnod cyntaf o ryddid i Lewis Valentine a Saunders Lewis (gyda J E Jones) ar yr Embankment yn Llundain

gelyn yn ddi-ofn oeddent serch hynny, gan eu bod, fel y nododd Valentine, 'yn gryndod i gyd' wrth wneud eu gwrthsafiad gan ychwanegu fod yn 'rhaid i ddyn wrth fwyd amgenach nag uwd carchar i gynnal protest yn wrol!'

Cyhoeddodd yr awdurdodau eu bod yn rhoi caniatâd arbennig i'r carcharorion fynd i'r eglwys i wrando ar ddarllediad radio o'r gwasanaeth coroni. Mewn ffafr hael arall dywedwyd y byddai pob carcharor oedd yn aelod o'r côr yn cael pwdin triog gyda'i fwyd i ddathlu'r achlysur. Dylai unrhyw rai nad oeddent yn fodlon gwneud hynny gamu o'r rhes. Camodd D J, Valentine ac Indiad o'r rhes ac fe'u carcharwyd am weddill y dydd a chael swper dibwdin. Y diwrnod hwnnw yn ôl Valentine 'oedd un o ddyddiau hapus ein carchariad'.

Erbyn canol haf roedd pethau'n edrych yn fwy golau. Mewn llythyr o'r carchar at O M Roberts dywedodd Valentine:

> Yr ydym bellach ar y wal – rhaid aros nes dŵad adref i ddehongli'r frawddeg, ond ei hystyr yw bod dydd ymwared yn ymyl. Yr ydym bellach wedi ennill pob gradd y gallo carcharor ei hennill, a chawn rai breintiau gwerth eu cael – cyd gerdded – cyd lefaru a chyfnewid llawer cyfrinach, a thrafod y Blaid a'i dyfodol. Y mae Dafydd wrthi y dyddiau hyn yn beirniadu y storïau byrion – nid rhyfedd ei fod yn galw'r lle yma yn "goleg", ond yn wahanol i bob coleg arall, yr ydys yn dysgu llawer yma!

Gwnaed trefniadau manwl gan y tri ar gyfer diwrnod eu rhyddhau. Anfonwyd neges ganddynt o'r carchar at y Blaid yn dweud eu bod yn awyddus i'r Dirprwy Lywydd a'r Trefnydd ddod i Lundain i drafod y sefyllfa

D J Williams ac R Williams Parry y tu allan i'r Cadogan Hotel

(O'r chwith i'r dde: Griffith John Williams, D J Williams, R Williams Parry, Saunders Lewis, J E Daniel a Lewis Valentine y tu allan i'r Cadogan Hotel)

yng Nghymru cyn iddynt ddychwelyd. Sicrhawyd £10 o gronfa arbennig y Blaid Genedlaethol er mwyn i'r tri brynu dillad newydd. Dywedodd Saunders Lewis wrth ei wraig mai'r bwriad oedd dewis gwesty lle na fyddai newyddiadurwyr yn aros amdanynt, a cheisio osgoi unrhyw dynwyr lluniau neu dyrfa wrth byrth y carchar. Adeg y rhyddhau felly, roedd disgwyl i J E Jones, J E Daniel, R Williams Parry a Griffith John Williams ddod i Lundain i'w cyfarfod, ar yr amod nad oedd neb arall i wybod am hynny, ac nad oedd neb i aros amdanynt ger giatiau'r Scrubs.

Trwy drefniant gyda'r Llywodraethwr cawsant eu rhyddhau yn gynt na'r disgwyl. Roeddent wedi gofyn am gael eu rhyddhau yn y bore er mwyn osgoi'r wasg, ond trefnodd yr awdurdodau eu bod yn cael eu gollwng am wyth o'r gloch y nos ar 26 Awst, a threuliodd y tri y noson yng ngwesty moethus y Great Cadogan yn Sloane Street. Pan gyrhaeddodd y fintai o Bleidwyr ar ôl bod allan yn gweld drama yn y theatr cawsant dipyn o syndod i weld y tri yno eisoes. Wedi hynny cafwyd 'cinio gorfoleddus' yn Soho gydag R Williams Parry yn ei hwyliau. Parhaodd afiaith y bardd dros y dyddiau wedyn wrth yrru Valentine yn ôl i Gymru yng nghwmni J E Jones, gan ganu hen ganeuon gwerin ac emynau Pantycelyn yr holl ffordd. Taith 'ddiangof' oedd y siwrne honno yn ôl Valentine.

Un o sgileffeithiau digwyddiadau 1936 ac 1937 oedd dyfnhau cyfeillgarwch y tri. Wedi'r llosgi a'r profiadau a ddilynodd hynny yn Wormwood Scrubs, roedd yno hynawsedd o'r newydd rhyngddynt. Yn wir un o nodweddion cyffredin cymeriadau'r tri oedd teyrngarwch. Teyrngarwch i achos cenedlaethol Cymru a'r Gymraeg yn sicr, ond hefyd, ar lefel mwy personol, teyrngarwch i'w gilydd. Teyrngarwch a seriwyd yng ngwres digwyddiadau 1936 ac a barhaodd trwy gydol gweddill eu bywydau. Fel y nododd Saunders mewn llythyr teimladwy at Valentine yn ddiweddarach:

> Clymodd profiad Wormwood Scrubs ni wrth ein gilydd ac fe erys hynny tra byddwn.

8

'Crazy sentiments' neu *'chwyldro o ryw fath'*?

YN DILYN YR HOLL sylw a'r gefnogaeth a ddenwyd i achos y Blaid Genedlaethol yn sgil yr achosion llys a charchariad y tri, roedd yn ymddangos ei bod ar drothwy cyfnod llewyrchus. Wedi blynyddoedd o ymlafnio'n ofer, o'r diwedd roedd posibilrwydd fod y Cymry'n troi at y mudiad cenedlaethol. Ond nid felly y bu. Dywedodd Saunders Lewis mai'r siom fwyaf i'r tri oedd dychwelyd o'r carchar a gweld eu cyd-aelodau'n hollti blew ynghylch dadleuon economaidd yn lle manteisio ar y cyfle a roddodd y Tân yn Llŷn i'r Blaid.

Er hynny, o weld y dyrfa a ymgasglodd yn y Cyfarfod i Groesawu'r Tri a gynhaliwyd yn y Pafiliwn, Caernarfon, ar 11 Medi, gallai rhywun feddwl bod cyfnod newydd wedi cychwyn yng ngwleidyddiaeth Cymru. Dywedir bod pymtheg mil yn bresennol, yn eu plith Ambrose Bebb, a gofnododd yr achlysur yn ei ddyddiadur: 'I dde ac i chwith, ac yn ôl i'r pellter roedd y miloedd yn disgwyl ac yn disgwyl.

Toc wedi chwech daeth y tri i mewn, a chododd pawb ar ei draed. Croeso mawreddog, yn saethu o galonnau gwerin a gwirion.'

Disgrifiodd y *Daily Post* y digwyddiad fel 'Scenes of enthusiasm almost without parallel in Welsh political history.' Nid oedd y *Western Mail* mor raslon, gan ddweud nad oedd Cymru erioed wedi gweld 'such an orgy of crazy sentiments and absurd self-adulation. Never have we heard it more blatantly proclaimed that crime is a passport to political fame …' Rhywbeth tebyg oedd agwedd y papur tuag at araith Saunders Lewis, a oedd, meddid, yn 'farrago of pacifism, neo-medievalism and racial hatred which would not be tolerated in any country outside the British Empire'. Dangosodd maint y dyrfa fod y tri yn destun edmygedd i lawer, ond edmygedd o hirbell ydoedd, hyd yn oed ymysg aelodau'r Blaid.

Fe gafwyd, serch hynny, ddadeni llenyddol, wrth i genhedlaeth o feirdd a llenorion adweithio yn erbyn yr hyn a welid fel dirmyg llywodraeth Lloegr tuag at Gymru a'r diwylliant Cymraeg. Ni welwyd dim byd cyfatebol mewn gwleidyddiaeth, fodd bynnag.

Un rheswm am y methiant i fanteisio ar y cyfle, a'r rheswm pennaf o bosib, oedd diymadferthedd yr aelodau ar lawr gwlad. Gohebodd J E Daniel ac Ambrose Bebb â changhennau'r Blaid gan annog aelodau i sefyll mewn etholiadau llywodraeth leol. Haerwyd bod y tri yn y carchar am nad oedd aelodau'r Blaid wedi mentro sefyll ac ennill seddi ar y cynghorau. Roedd yna elfen o wir yn hyn, gan mai ychydig iawn o godi llais a fu o du'r awdurdodau lleol yn erbyn adeiladu'r Ysgol Fomio. Dyletswydd yr aelodau yn awr oedd gwneud iawn am hynny. Llwyddodd Morris Williams, gŵr Kate Roberts, i ennill sedd ar Gyngor Bwrdeistref Dinbych. Rhoddodd wybod i'r tri tra oeddent yn y carchar trwy gynnwys yr hanes mewn stori fer a anfonodd i gystadleuaeth yn Eisteddfod Genedlaethol Machynlleth. D J oedd beirniad y gystadleuaeth a chafodd ganiatâd i wneud hynny o Wormwood Scrubs. (Llwyddodd D J hefyd i guddio llythyr yn anfon cyfarchion gan y tri charcharor i'r Eisteddfod gyda'i feirniadaeth.) Eithriad oedd llwyddiant Morris Williams, fodd bynnag, a dim ond naw ymgeisydd oedd gan y Blaid yn etholiadau'r cynghorau sir ym Mai 1937. Rhybuddiodd Kate Roberts yn erbyn y difrawder gan ddadlau y byddai'r Blaid yn destun gwawd cyn hir os na fyddai mwy o'r aelodau'n barod i ddod ymlaen fel ymgeiswyr. Yn yr un modd, er gwaethaf bygythiadau i wrthod llenwi ffurflenni swyddogol Saesneg a gwrthod talu'r dreth incwm ni ddeilliodd unrhyw ymgyrch o fygythiadau o'r fath.

Fe gafwyd tipyn o gynnwrf yn ystod Eisteddfod Machynlleth, serch hynny, wrth i ddigwyddiadau Medi 1936 daflu cysgod hir dros y Brifwyl.* Gwraidd llawer o'r cynnwrf oedd penderfyniad y Pwyllgor Gwaith i wahodd Arglwydd Londonderry i lywyddu a thraddodi araith uniaith Saesneg yn un o gyngherddau wythnos yr Eisteddfod. Arglwydd Londonderry oedd perchennog

---

* Ceir hanes cythrwfl Eisteddfod Machynlleth yn llawn gan Alan Llwyd yn ei gyfrol *Y Gaer Fechan Olaf.*

Y dorf yng Nghaernarfon yn aros i fynd i mewn i'r Cyfarfod Croeso

Lewis Valentine yn areithio yn y Cyfarfod Croeso

Plas Machynlleth, ac roedd wedi cynnig y plas a'r gerddi i'r Eisteddfod eu defnyddio, ac yno y cynhaliwyd yr arddangosfa Celf a Chrefft. Ond roedd yr Arglwydd hefyd yn llywydd y Weinyddiaeth Awyr – yr union Weinyddiaeth Awyr oedd wedi codi'r Ysgol Fomio ym Mhen Llŷn, ac a oedd, yn anuniongyrchol felly, yn gyfrifol am garcharu Valentine, D J a Saunders.

Yn y misoedd yn dilyn y gwahoddiad i Arglwydd Londonderry lywyddu un o gyngherddau'r Eisteddfod, ymddiswyddodd W J Gruffydd fel aelod o'r Pwyllgor Gwaith mewn protest, ac yna gwrthododd Iorwerth Peate, Cassie Davies, Gwenallt, Meuryn, Prosser Rhys a Thomas Parry â gweithredu fel beirniaid yn yr Eisteddfod. Ym mis Chwefror ymddiswyddodd Londonderry hefyd, ond penderfynodd y Pwyllgor Gwaith adael ei sedd yn wag fel arwydd o barch i'r Arglwydd absennol.

Er hynny, un o sgileffeithiau'r helynt – a thrwy hynny un o ganlyniadau anfwriadol y Tân yn Llŷn – oedd sefydlu egwyddor Rheol Gymraeg yr Eisteddfod, sef y rheol mai'r Gymraeg yn unig fyddai iaith swyddogol y Brifwyl. Er na ddaeth y rheol yn llwyr weithredol tan eisteddfodau'r 1950au, fel y noda Alan Llwyd, 'Llwyddodd y brotest i atal Arglwydd Londonderry rhag llywyddu ac i ddylanwadu ar swyddogion yr Eisteddfod i ddod â'r Rheol Gymraeg i rym, i osgoi unrhyw gynnwrf a helynt yn y dyfodol.'

Bu tipyn o gyffro yn ystod yr wythnos ei hun hefyd. Cafwyd damwain ar nos Fercher yr Eisteddfod pan losgwyd pwerdy trydan Machynlleth i'r llawr. Cymaint oedd tensiwn a berw'r cyfnod nes i'r heddlu amau ar y

Cartŵn dychanol adeg Eisteddfod Machynlleth 1937

cychwyn mai gweithred arall gan genedlaetholwyr oedd y digwyddiad. Holwyd nifer o Gymry amlwg yn cynnwys Gwilym R Jones. Yna, ar y dydd Gwener, cynhaliwyd protest ar y maes yn erbyn papur y *Western Mail*, oedd wedi cyhoeddi yn rhifyn y diwrnod hwnnw y dylai D J Williams ddatgan yn gyhoeddus ei fod yn condemnio ei ran yn y llosgi, ac os nad oedd yn barod i wneud hynny yna y dylai golli ei swydd fel athro: 'his reinstatement should not be contemplated'.

Twrw dros dro ac ysbeidiol oedd digwyddiadau fel hyn, fodd bynnag, a doedd dim argoel o ymgyrch boliticaidd drefnus a chynaliadwy gan y Blaid Genedlaethol.

Ceir arwydd o rwystredigaeth y tri gyda'r datblygiadau

neu'r diffyg datblygiadau yng Nghymru mewn llythyr a ysgrifennodd D J Williams o'r carchar at ei wraig Siân ar 25 Gorffennaf 1937:

> Rhaid cyfaddef rhyngom â'n gilydd, mai pur siomedig y teimlwn ni yma am na wnaethpwyd cymaint â rhoi un bw! yng Nghaernarfon yn ystod ymweliad y brenin i bwysleisio ein protest ni yn erbyn anrheithio ein gwlad.

Go brin y byddai Saunders Lewis wedi cymeradwyo doethineb politicaidd protest o'r fath, gan nad oedd ef ei hun yn wrth-frenhinwr, ond roedd teimladau D J yn adlewyrchu barn y tri charcharor ynglŷn â diffyg gweithgaredd y Blaid ar fater protest Penyberth.

Er hynny, efallai i Saunders amau nad oedd yr argoelion yn dda ac na ddeuai dim budd sydyn i'r achos. Un bore Sul yn Neuadd D Wormwood Scrubs roedd yn sgwrsio gyda'r ddau arall pan ddywedodd am rai o ymffrostwyr mwyaf brwd a gweithredwyr cadair freichiau'r Blaid: "Ry'ch chi'n gweld … dydi'r dynion yma sy'n llawn siarad ynghylch rhyw weithred o bwys neu o antur, byth bron yn gwneud llawer ohoni. Y maent yn gadael y stêm i ddianc yn rhy gynnar fel nad oes ond mwg a sŵn ar ôl pan ddaw hi'n fater o weithredu."

Gwyddai'r Llywydd am dueddiad aelodau'r Blaid i osod 'Y Tri' ar bedestal, a'u heneinio'n seintiau'r mudiad cenedlaethol. Er bod diben propaganda gwleidyddol i hynny, wrth reswm, roedd hefyd yn gallu cymell eilunaddoli, nad oedd yn arwain at unrhyw weithgaredd politicaidd gwerth chweil. Pwysleisiai ar hyd yr adeg mai dynion cyffredin oeddent, a ddewisodd weithredu yn ôl eu cydwybod, gan ofyn i'w cydwladwyr, 'cyffredin ac ysgolhaig', sefyll gyda hwynt yn y bwlch, er mwyn cadw 'i'r oesoedd a ddêl y glendid a fu'. Ar achlysur dathlu hanner can mlynedd Valentine yn y weinidogaeth dywedodd Saunders Lewis wrth dalu teyrnged iddo: 'Ar y pryd bu sôn hyd at ein syrffedu ni am y tri gwron. Nid gwroniaid mohonynt un dim ond dynion wedi eu dal gan ddyletswydd a heb fedru ei gwadu.'

* * * * * * *

Agorwyd yr Ysgol Fomio yn 1938, ond ar ôl yr holl gythrwfl ni fu'r safle'n gymorth mawr i beilotiaid y Llu Awyr wrth baratoi am ryfel. Y rheswm pennaf am hynny oedd bod niwl môr arfordir Llŷn yn amharu'n sylweddol ar eu gallu i hedfan ac ymarfer eu hymosodiadau o'r awyr. Felly, rhwng hynny a methiant y Blaid i wneud yn fawr o'i chyfle yn sgil y llosgi, yr achosion llys a'r carchariad, byddai'n ddigon teg i'r rhai a gymerodd ran gwestiynu gwerth eu safiad a holi beth yn union a gyflawnwyd ganddynt a beth fu effaith hynny ar Gymru.

Yn sicr nid oedd dim byd cyffelyb wedi digwydd ers canrifoedd. Er bod gweithredu tor cyfraith, digon treisiol yn wir, wedi digwydd yn rheolaidd yng Nghymru o gyfnod ymosodiadau Merched Beca hyd at Ryfel y Degwm, nid oedd neb wedi cyflawni gweithred o dor cyfraith bwriadol yn enw Cymru ers cyfnod gwrthryfel Owain Glyndŵr.

Gwlad saff, 'Cymru lân, Cymru lonydd', oedd Cymru cyn Penyberth. Rhan ganolog o fwriad y weithred oedd tarfu ar y llonyddwch hwnnw, a cheisio cael y Cymry i feddwl amdanynt eu hunain fel cenedl boliticaidd am y tro cyntaf ers canrifoedd, ac ar yr un pryd dangos i Lywodraeth Prydain fod yno rai yng Nghymru oedd yn gwbl o ddifri dros achos eu cenedl.

Anodd anghytuno, serch hynny, â haeriad sylwebwyr cyfoes fel Richard Wyn Jones mai tipyn o dân siafins oedd Penyberth yn y tymor byr. Oherwydd er i'r Blaid lwyddo i ddenu torfeydd enfawr i'r achos llys a'r cyfarfod croeso yng Nghaernarfon, diffodd wnaeth fflam y sêl yn sgil diffyg trefniadaeth a stamina gwleidyddol y mudiad. Yn y tymor canol a'r hir dymor serch hynny fe roddodd gweithred Penyberth haearn yng ngwythiennau aelodau'r Blaid Genedlaethol. Mae lle i ddadlau na fyddai'r Blaid wedi gallu goroesi blynyddoedd anodd yr Ail Ryfel Byd heb y Tân yn Llŷn. Yn sicr bu'n ysbrydoliaeth i'r rhai a wynebodd y llysoedd yn ystod y pedwardegau fel gwrthwynebwyr cydwybodol ar y sail eu bod yn genedlaetholwyr Cymreig. Yn yr un modd fe roddwyd patrwm i genedlaetholwyr ei ddilyn dros y blynyddoedd a'r degawdau i ddod a bu'n ddylanwad amlwg ar ddulliau gwrthdystwyr a phrotestwyr dros y Gymraeg yn negawdau olaf yr ugeinfed ganrif. Ar ben hynny gellir nodi canlyniadau anfwriadol y weithred a'r digwyddiadau a ddilynodd, megis sefydlu'r Rheol Gymraeg yn yr Eisteddfod Genedlaethol ac ehangu'r denfydd o'r Gymraeg mewn achosion llys yng Nghymru.

Ar y pryd roedd y gweithredwyr eu hunain yn ymwybodol

Cartwnau o Saunders Lewis,
Lewis Valentine a D J Williams
gan R L Huws

J E Jones, Lewis Valentine a D J Williams yn Eisteddfod y Bala 1967

fod rhywbeth arwyddocaol wedi digwydd, er nad oeddent efallai yn gwybod pa mor bellgyrhaeddol y byddai ei effaith. Fel y dywedodd D J ychydig ar ôl y llosgi: 'Teimlem i ni gymryd rhan mewn gweithred oedd yn fwy na ni'n hunain.' Aeth Lewis Valentine mor bell â haeru y gellid siarad am Gymru cyn y weithred a Chymru wedi'r weithred. 'Bu yna doriad,' dadleuodd; 'fe ddigwyddodd rhywbeth. Ac mae yna rai pethau na allwn ni fyth fynd yn ôl atynt eto.'

Dyn ceidwadol a phwyllog oedd Saunders Lewis o ran ei ddaliadau a'i gymeriad, ond daeth i sylweddoli'n fuan mai dim ond rhyw fath o chwyldro a allai atal tranc y genedl a'r iaith oedd mor greiddiol i'w hunaniaeth. Mor gynnar â 1932 cwynodd nad oedd cenedlaetholwyr Cymreig 'yn ddigon herfeiddiol, yn ddigon chwyldroadol'. Os rhywbeth, cadarnhawyd ei farn yn hyn o beth yn sgil profiadau 1936, a mynegodd hynny'n gryno rhyw ddegawd wedi'r llosgi gan ddweud: 'Ni ddwg dim ond chwyldro o ryw fath neu'i gilydd hunanlywodraeth i Gymru.' Er gwaethaf safbwyntiau felly, nid gwlad chwyldroadol yw Cymru ac nid cychwyn chwyldro cymdeithasol neu ymgyrch dor cyfraith oedd canlyniad na bwriad y Tân yn Llŷn. Eto i gyd roedd yr hyn a gyflawnwyd gan y tri – a'u cynorthwywyr – yn weithred 'chwyldroadol' mewn ystyr seicolegol os nad dim byd arall.

Oherwydd does dim dwywaith i'r digwyddiad fod yn ysgytwad seicolegol i syniad y Cymry Cymraeg ohonynt eu hunain. Fel y dywed Dafydd Glyn Jones, '… bu'n sioc o'r mwyaf i'r Cymry, a hwythau wedi hen roi'r gorau i'r gred bod y gallu ynddynt i wneud y fath beth'. Mewn diwylliant oedd wedi mawrygu traethu a phregethu ers degawdau (os nad canrifoedd), ar draul gwneud a gweithredu, dyma weithred o'r diwedd oedd yn cyfathrebu'n fwy clir a chroyw nag y gallai unrhyw eiriau.

A hyd yn oed wedi 75 mlynedd, mae hanes y digwyddiadau yn dal i fod yn rymus, ac yn dal i ennyn safbwyntiau cryf. Dichon fod rhai yn dal i gytuno â barn y *Western Mail* ar y pryd mai sentiment ynfyd oedd y cyfan, ond nid oes rhaid cydweld â syniadaeth na chymhellion y Tri i weld bod digwyddiadau 1936 yn groesffordd yn hanes modern Cymru. I lawer, dyma yw'r trobwynt yn hanes y mudiad cenedlaethol cyfoes.

Lle dieithr o'i gymharu â Chymru heddiw yw Cymru 1936, a phlaid wahanol iawn yw Plaid Cymru'r unfed ganrif ar hugain i Blaid Genedlaethol hanner cyntaf yr ugeinfed

Aduniad y Tri yn 1968 – y tro cyntaf i'r tri fod yn yr un lle gyda'i gilydd ers 1937

ganrif. Tyfodd y mudiad i fod yn blaid sydd wedi bod yn rhan o lywodraeth yng Nghymru, gyda'r holl gyfaddawdu ac ildio i benderfyniadau *realpolitik* sydd ynghlwm â hynny. I ryw raddau yr oedd tasg yr arloeswyr cynnar er mor fawr ac anodd, hefyd ar un wedd yn symlach; fel y cyfaddefodd Saunders Lewis mewn llythyr at D J ar ôl achos Llys y Goron Caernarfon:

> Hyd yn hyn nid oes gan neb ohonom ddim mewn golwg ond lles Cymru, dyna'n man cryf ni. Pan ddaw llwyddiant fe ddaw gobeithion personol hefyd yn fuan, a llygru ar y mudiad. Dyna hanes mudiadau, ni raid wylo am hynny, ond ei dderbyn yn ddiolchgar fel arwydd o lwyddiant. Ond yr awr hon, yr wyf i a chwithau a phawb ohonom mi dybiaf yn amhersonol ffyddlon i ddelfryd Cymru.

Eto i gyd, lluniwyd y wlad yr ydym yn byw ynddi gan ddigwyddiadau fel llosgi'r Ysgol Fomio. Heddiw, er bod y Gymraeg yn cael ei gwasgu yn ei chadarnleoedd ac er mai cropian yn boenus o araf y mae Cymru at ryddid cenedlaethol, mae'r Gymraeg yn iaith swyddogol yng Nghymru ac mae gennym ein senedd ddeddfwriaethol ein hunain am y tro cyntaf ers chwe chanrif. Nid gormodiaith yw mentro dweud y byddai pethau'n llawer gwahanol oni bai am y sbarc a roddwyd gan y Tân yn Llŷn i gynnau fflam ymwybyddiaeth y Cymry ohonynt eu hunain fel cenedl wleidyddol.

'Beth pe bai'r arweiniad hwnnw heb ei roddi i Gymru y pryd hynny?' oedd cwestiwn rhethregol Lewis Valentine ddegawdau wedi'r digwyddiad. 'Arswydaf wrth feddwl,' meddai gan ateb ei gwestiwn ei hun, 'er cynddrwg yw hi arnom, y llanast a fyddai yma heddiw.' Diau fod Valentine hefyd yn siarad ar ran pawb a gymerodd ran yn y weithred o roi adeiladau'r Ysgol Fomio ar dân y noson honno o fis Medi yn 1936, pan ychwanegodd:

> Yr wyf yn gwbl ddiysgog – yr oedd yn rhaid wrth y weithred hon, nid wyf wedi cael achos i newid dim ar fy meddwl. Erbyn heddiw gwelwn yn gliriach fyth mor sicr oedd Saunders Lewis o'i bethau, ac mor ddibŵl oedd ei weledigaeth wrth gynllunio hyn. Lladdodd y weithred hon y sentimentaleiddiwch a'r meddalwch oedd yn eiddilo'r genedl, a dechreuodd cyfnod newydd o weithredu yn hytrach na siarad.

Darllen Pellach

Bro a Bywyd Saunders Lewis, gol. Mair Saunders (Cyhoeddiadau Barddas, 1987)

Cymru'n Deffro, gol. John Davies (Y Lolfa, 1981)

Oddeutu'r Tân, O M Roberts (Gwasg Gwynedd, 1994)

Paham y Llosgasom yr Ysgol Fomio, Saunders Lewis a Lewis Valentine (Y Blaid Genedlaethol, 1936)

R Williams Parry (Cyfres Dawn Dweud), Bedwyr Lewis Jones (Gwasg Prifysgol Cymru, 1997)

Rhoi Cymru'n Gyntaf: Syniadaeth Plaid Cymru: Cyfrol 1, Richard Wyn Jones (Gwasg Prifysgol Cymru, 2007)

Tân yn Llŷn, Dafydd Jenkins (Cyhoeddiadau Plaid Cymru, 1937, ail argraffiad 1975)

Tros Gymru, J E Jones (Gwasg Tŷ John Penry, 1970)

Un Bywyd o Blith Nifer (Cofiant Saunders Lewis), T Robin Chapman (Gwasg Gomer, 2006)

Valentine, Arwel Vittle (Y Lolfa, 2006)

Y Cawr o Rydcymerau, Cofiant D J Williams, Emyr Hywel (Y Lolfa, 2009)

Y Gaer Fechan Olaf, Hanes Eisteddfod Genedlaethol Cymru 1937–1950, Alan Llwyd (Cyhoeddiadau Barddas, 2006)

Saesneg

A Nation on Trial (Rhagymadrodd John Davies), cyf. Ann Corkett o *Tân yn Llŷn* (Welsh Academic Press, 1998)

Letters to Margaret Gilcriest, Saunders Lewis, goln Mair Saunders, Harri Pritchard Jones, Ned Thomas (Gwasg Prifysgol Cymru, 1993)

The Welsh Nationalist Party 1925–1945: A Call to Nationhood, Hywel Davies (Gwasg Prifysgol Cymru, 1983)

Ffynonellau uniongyrchol (Llyfrgell Genedlaethol Cymru)

Archif Plaid Cymru

Casgliad D J Williams

Casgliad Saunders Lewis

Papurau Lewis Valentine

Papurau O M Roberts

Papurau newydd a chylchgronau'r cyfnod

Heddiw

News Chronicle

The Daily Post

The Welsh Nationalist

The Western Mail

Y Brython

Y Cymro

Y Ddraig Goch

Y Faner

Y Llenor

Hefyd o'r Lolfa:

£14.95

Y CAWR O
RYDCYMERAU
Cofiant D.J. Williams
gan Emyr Hywel
y lolfa

£14.95

ANNWYL D.J.
Llythyrau D.J., Saunders, a Kate
Golygwyd gan
EMYR HYWEL
y Lolfa

£14.95

£24.95

Am restr gyflawn o lyfrau'r Lolfa, mynnwch
gopi o'n catalog newydd, rhad
neu hwyliwch i mewn i'n gwefan

www.ylolfa.com

lle gallwch archebu llyfrau ar lein.

TALYBONT CEREDIGION CYMRU SY24 5HE
ebost ylolfa@ylolfa.com
gwefan www.ylolfa.com
ffôn 01970 832 304
ffacs 832 782